GRANDES GENIOS
DE LA LITERATURA UNIVERSAL
VOLUMEN 4

JULIO VERNE

VEINTE MIL LEGUAS DE VIAJE SUBMARINO (I)

© Edita:
S. A. de Promoción y Ediciones
Club Internacional del Libro
Londres, 49 - MADRID-28

Fotolitos y derechos de traducción
cedidos por Ediciones Nauta, S. A.
Loreto, 16. - Barcelona (29)

ISBN: 84-7461-198-9 obra completa
ISBN: 84-7461-199-7 tomo I
Depósito Legal: M. 12.416-1983
Imprime: Mateu Cromo Artes Gráficas, S. A.
Ctra. de Pinto a Fuenlabrada, s/n. Pinto (Madrid)

PRIMERA PARTE

CAPÍTULO PRIMERO

UN ESCOLLO FUGAZ

FUE notable el año 1866 por un acontecimiento singular, un fenómeno no explicado ni explicable, que nadie habrá indudablemente olvidado. Prescindiendo de los rumores que agitaban las poblaciones de los puertos y sobreexcitaban el ánimo público en el interior de los continentes, conmovióse especialmente la gente de mar. Los negociantes, armadores, capitanes de buques *skippers masters* (1), de Europa y América, oficiales de las marinas militares de todos los países, y después los Gobiernos de los Estados de ambos continentes se preocuparon en alto grado del hecho a que nos referimos.

En efecto, hacía algún tiempo que varios buques se habían encontrado en el mar con una cosa enorme, un objeto largo, fusiforme, a veces fosforescente, infinitamente más vasto y más rápido que una ballena.

Los hechos relativos a esta aparición, consignados en los diferentes libros de a bordo, estaban con bastante exactitud de acuerdo sobre la estructura del objeto o del ser en cuestión, la velocidad incalculable de

(1) Voces inglesas equivalentes la primera a *patrón de buque*, y la segunda a *contramaestre* unas veces y *capitán de buque mercante* otras. En la Marina inglesa, el *master* es una especie de contramaestre profesor de todos los conocimientos necesarios a bordo, e inspector de cuanto se hace.

sus movimientos, la potencia sorprendente de su locomoción y la vida particular de que parecía dotado. Si era un cetáceo superaba en volumen a todos los que la ciencia había clasificado hasta entonces. Ni Cuvier, ni Lacépede, ni Duméril, ni Quatrefages, hubieran admitido la existencia de semejante monstruo, sino viéndolo, lo que se llama visto con sus propios ojos de sabio.

Tomando el promedio de las observaciones hechas en diversas veces, desechando las evaluaciones tímidas que señalaban a dicho objeto una longitud de doscientos pies y rechazando las opiniones exageradas que le suponían la anchura de una milla y la longitud de tres, podía asegurarse que aquel ser fenomenal sobrepasaba todas las dimensiones admitidas hasta el día por los ictiólogos, si es que acaso existía.

Pero existía, efectivamente, no pudiendo ya negarse el hecho en sí mismo, y con esa tendencia que mueve al cerebro humano hacia lo maravilloso, se comprenderá la emoción producida en el mundo entero por tan sobrenatural aparición. En cuanto a relegarlo a la esfera de las fábulas, preciso era renunciar a ello.

Efectivamente, el 20 de julio de 1866, el vapor *Governor Higgison,* de *Calcutta and Burnach Stean Navigation Company* (1), había encontrado aquella masa movediza a cinco millas al Este de las costas de Australia. El capitán Baker se creyó al pronto en presencia de un escollo desconocido, y ya se disponía a determinar su posición exacta, cuando dos columnas de agua, proyectadas por el inexplicable objeto, se elevaron silbando a ciento cincuenta pies por el aire. Por consiguiente, a no estar sometido aquel escollo a las expansiones intermitentes de un geyser (2), el *Governor Higgison* tenía que habérselas con algún mamífero acuático, hasta entonces desconocido, que despedía por sus espiráculos columnas de agua mezcladas con aire y vapor.

Observóse también semejante hecho el 23 de julio del mismo año en los mares del Pacífico, por el *Cristó-*

(1) Compañía de navegación a vapor de Calcuta y Burnach.
(2) Fuente intermitente que despide el agua en chorro vertical y elevado; existen algunas junto a los volcanes de Islandia.

bal Colón, de *West India and Pacific Steam Navigation Company* (1). Por consiguiente, aquel cetáceo extraordinario podía trasladarse de un paraje a otro con sorprendente velocidad, puesto que con tres días de diferencia el *Governor Higgison* y el *Cristóbal Colón* le habían observado en dos puntos del mapa separados por una distancia de más de setecientas leguas marítimas.

Quince días más tarde, a dos mil leguas más allá, el *Helvetia,* de la *Compañía Nacional,* y el *Shannon,* del *Royal Mail,* navegando ambos de conserva en aquella porción del Atlántico comprendida entre los Estados Unidos y Europa, indicaron respectivamente el monstruo a los 42° 15' latitud Norte y 60° 25' de longitud al Oeste del meridiano de Greenwich. En esta observación simultánea se creyó posible evaluar la longitud mínima del mamífero en más de trescientos cincuenta pies ingleses (2), puesto que el *Shannon* y el *Helvetia* eran de dimensiones inferiores, aunque medían cien metros desde la roda al codaste. Ahora bien, las ballenas mayores, las que frecuentan los parajes de las islas Aleutianas, el Kulamok y el Umgullil, jamás han excedido la longitud de cincuenta y seis metros, si acaso la alcanzan.

Estas noticias, llegadas una tras otra; nuevas observaciones hechas a bordo del transatlántico el *Pereire;* un abordaje entre el *Etna* de la línea Inman y el monstruo; un acta levantada por los oficiales de la fragata francesa la *Normandia;* un informe muy serio, obtenido por el Estado Mayor del comodoro Fitz James, a bordo del *Lord Clyde,* excitaron profundamente la opinión pública. En las países de buen humor, el fenómeno se tomó a broma; pero las naciones graves y prácticas, como Inglaterra, América y Alemania, se preocuparon vivamente de él.

En todos los grandes centros púsose el monstruo de moda. Le cantaron en los cafés, le bromearon los periódicos, le representaron en los teatros. Las gacetillas pudieron variarse de mil diferentes modos. Aparecieron

(1) Compañía de navegación a vapor de la India Occidental y del Pacífico.

(2) Ciento seis metros y medio.

sin intermisión en los periódicos todos los seres imaginarios y gigantescos, desde la ballena blanca, el terrible *Moby Dick* de las regiones hiperbóreas, hasta el Kraken desmesurado, cuyos tentáculos pueden abarcar un buque de quinientas toneladas y arrastrarlo a los abismos del océano. Se reprodujeron las actas de los antiguos tiempos, las opiniones de Aristóteles y de Plinio, que admitían la existencia de estos monstruos, las narraciones noruegas del obispo Pontoppidan, las relaciones de Pablo Heggede y, por fin, los informes de Harrington, de cuya buena fe no puede dudarse cuando asegura haber visto a bordo del *Castellano,* en 1857, a la enorme serpiente que no había frecuentado hasta entonces más que los mares del antiguo *Constitucional.*

Estalló entonces la interminable polémica de los crédulos y de los incrédulos en las sociedades eruditas y los periódicos científicos. La cuestión del monstruo enardeció los ánimos. Los periodistas que profesan la ciencia, en lucha con los que hacen alarde del ingenio, derramaron oleadas de tinta durante aquella memorable campaña, y algunos llegaron a verter dos o tres gotas de sangre porque pasaron de la serpiente de mar a las más ofensivas personalidades.

Durante seis meses prosiguió la guerra con suerte diversa. A los artículos de fondo del Instituto Geográfico del Brasil, de la Real Academia de Ciencias de Berlín, de la Asociación Británica, de la Institución Smithsoniana de Washington, a las discusiones del *The Indian Archipielago del Cosmos* del abate Moigno, de las *Mitteilungen* de Potermann; a las crónicas científicas de los grandes periódicos de Francia y del extranjero, daba la Prensa festivas respuestas de inagotable inspiración. Sus ingeniosos escritores, parodiando un dicho de Linneo, citado por los adversarios del monstruo, sostuvieron en efecto que *la Naturaleza no engendraba necedades,* y conjuraron a sus contemporáneos a no dar un mentís a la Naturaleza admitiendo la existencia de los Krakens, de las serpientes de mar, de los *Moby Dick* y otras lucubraciones de los delirantes marinos. Por último, en cierto artículo de un periódico satírico muy temido, el más simpático de sus redactores, atropellando todo, arremetió al monstruo como Hipólito, le asestó el último golpe y lo remató en medio de una carcajada universal. El ingenio había derrotado a la ciencia.

Durante los primeros meses del año 1867, pareció la cuestión olvidada, y no tenía visos de renacer cuando llegaron nuevos hechos a conocimiento del público. Ya no se trató entonces de un problema científico por resolver, sino de un peligro efectivo y serio que evitar. La cuestión adquirió, pues, otro muy diferente aspecto. El monstruo volvió a ser islote, peña, escollo, pero escollo fugaz, indeterminable, impalpable.

El 5 de marzo de 1867, el *Moravian*, de *Montreal Ocean Company*, hallándose durante la noche a los 37° 30' de latitud y 82° 15' de longitud, tropezó por estribor con una peña no indicada por los mapas en aquellos parajes. Bajo el esfuerzo combinado del viento y de sus cuatrocientos caballos de vapor, navegaba a la velocidad de trece nudos. Es indudable que, sin las superiores condiciones de su casco, el *Moravian*, abierto por el choque, se hubiera ido a pique con los doscientos treinta y siete pasajeros que traía del Canadá.

Había ocurrido el accidente hacia las cinco de la mañana, cuando apuntaba el día. Los oficiales de guardia se precipitaron a la popa, y examinaron el océano con la atención más escrupulosa. Nada vieron, sino un remolino que rompía las aguas a unos tres cables, cual si las capas líquidas hubieran sido batidas con violencia. Se tomó con exactitud el señalamiento del paraje, y el *Moravian* continuó su rumbo sin averías aparentes. ¿Había tropezado con una roca submarina, o con algún enorme despojo de un naufragio? No pudo saberse; pero examinando el buque en los diques de carenaje, se vio que la quilla había sido destrozada.

Este hecho, sumamente grave en sí mismo, hubiera sido quizá olvidado, como tantos otros, si tres semanas después no se hubiese reproducido en condiciones idénticas. Gracias a la nacionalidad del buque que fue víctima del encuentro; gracias a la reputación de la Compañía a que pertenecía, el acontecimiento tuvo una gran publicidad.

Nadie ignora el nombre del célebre armador inglés Cunard.

Este inteligente industrial fundó en 1840 un servicio postal entre Liverpool y Halifax, con tres buques de madera y ruedas de cuatrocientos caballos de fuerza y mil ciento sesenta y dos toneladas de aforo. Ocho años después, el material de la Compañía se aumentaba con cuatro buques de seiscientos cincuenta caballos y mil ochocientas veinte toneladas, y dos años más tarde con otros dos buques superiores en fuerza y cabida. En 1853, la Compañía Cunard, cuyo privilegio para la conducción del correo acababa de ser renovado, añadió a su flota, sucesivamente, el *Arabia,* el *Persia,* el *China,* el *Scotia,* el *Java,* el *Russia;* navíos todos de primera marcha, y los más grandes que después del *Great Eastern* hubiesen surcado jamás los mares. Así, pues, la Compañía poseía doce buques, ocho de rueda y cuatro de hélice.

Si me extiendo a tan sucintos pormenores, es para que sepan todos la importancia de esa Compañía de transportes marítimos, conocida del mundo entero por su gestión inteligente. Ninguna empresa de navegación transoceánica ha sido dirigida con más habilidad; ningún negocio ha sido coronado de mejor éxito. En el transcurso de veintiséis años, los buques Cunard han cruzado dos mil veces el Atlántico, y nunca se ha malogrado viaje alguno, ni ha ocurrido un solo retraso, ni se ha perdido una carta, ni un hombre, ni un vapor. Por eso los pasajeros escogen todavía, a pesar de la concurrencia poderosa de Francia, la línea Cunard con preferencia a cualquier otra, según aparece de una memoria formada con los datos oficiales de los últimos años. Dicho esto, nadie extrañará la publicidad provocada por el accidente ocurrido a uno de los más hermosos buques de la citada empresa.

El 13 de abril de 1867, hallábase el *Scotia* a los 15° 12' de longitud y 45° 57' de latitud, navegando con brisa manejable, mar bonancible y una velocidad de trece nudos cuarenta y tres centésimas, bajo el empuje de sus mil caballos de vapor. Batían las ruedas el mar con regularidad perfecta, siendo su calado de seis metros setenta centímetros, y su desplazamiento de seis mil seiscientos veinticuatro metros cúbicos.

A las cuatro y diecisiete minutos de la tarde, mientras que los pasajeros se hallaban reunidos en el gran salón, sobrevino un choque, aunque poco sensible, en el casco del *Scotia*, por su aleta de popa, y un poco atrás de la rueda de babor.

El choque no había sido dado, sino recibido por el *Scotia* y más bien por un instrumento cortante o perforante que contundente. Tan ligero había parecido el golpe que nadie se hubiera preocupado de él a bordo sin el grito de los paleadores, que subieron al puente, exclamando:

— ¡A pique! ¡Nos vamos a pique!

Cundió la alarma entre los pasajeros, pero los tranquilizó el capitán Anderson, informándoles que no existía peligro inminente. El *Scotia*, dividido en siete compartimientos estancos, por medio de tabiques herméticos, podía resistir impunemente una vía de agua.

Bajó el capitán Anderson inmediatamente a la bodega y reconoció que el quinto compartimiento había sido invadido por el mar, con tal rapidez, que no podía menos de suponerse la existencia de una considerable vía. Por fortuna, no estaban las calderas en este compartimiento, porque los fuegos se hubiesen apagado inmediatamente.

El capitán Anderson hizo parar las máquinas, y uno de los marineros buceó para reconocer la avería. Algunos instantes después se comprobó la existencia de un orificio de dos metros de ancho en los fondos del buque. Semejante vía de agua no podía cegarse; y el *Scotia*, con las ruedas casi sumergidas, tuvo que continuar así su viaje. Hallábase entonces a trescientas millas del cabo Clear, y después de un retraso de tres días, que inquietó vivamente a la población de Liverpool, entró en las dársenas de la Compañía.

Procedieron entonces los ingenieros a visitar el *Scotia*, que se dejó en el dique seco, y no pudieron creer lo que sus ojos veían: A dos metros y medio, por debajo de calado, existía una abertura regular en forma de triángulo isósceles. La fractura de la chapa era de perfecta limpieza, sin que mejor lo hubiera hecho un sacabocados. Por consiguiente, la herramiento que la había producido tenía que ser de un temple poco común; y después de haber sido despedida con prodigiosa fuerza, perforando una chapa de cuatro centímetros, debió retirarse por sí misma con movimiento retrógrado y verdaderamente inexplicable.

Tan extraordinario fue este último suceso, que la opinión pública se excitó de nuevo. Desde este momento los siniestros marítimos, sin causa conocida, fueron imputados al monstruo. Este fantástico animal cargó con la responsabilidad de todos esos naufragios, cuyo número es, por desgracia, considerable, pues por cada tres mil buques, cuyo naufragio se anota en el *Bureau Veritas,* la cifra de embarcaciones de vapor o vela que se suponen perdidas enteramente, por falta de noticias, no asciende a menos de doscientas.

De estas desapariciones fue acusado el monstruo, justa o injustamente, y por culpa suya hacíanse cada día más peligrosas las comunicaciones entre los diversos continentes; el público se pronunció, y pidió categóricamente que los mares fuesen desembarazados, a cualquier precio, de tan formidable cetáceo.

CAPÍTULO II

EL PRO Y EL CONTRA

EN la época en que ocurrieron tales sucesos, regresaba yo de una exploración científica emprendida por las malas tierras de Nebraska, en los Estados Unidos. En mi calidad de profesor suplente del Museo de Historia Natural de París, el Gobierno francés me había agregado a esa expedición. Después de seis meses transcurridos en Nebraska, llegaba a Nueva York hacia finales de marzo, cargado de preciosas colecciones. Habíase fijado mi salida para principios de mayo, y me ocupaba entretanto en clasificar mis riquezas mineralógicas, botánicas y zoológicas, cuando aconteció el incidente del *Scotia.*

Estaba yo perfectamente enterado de la cuestión en

todos sus detalles. ¿Y cómo no estarlo? Había leído y releído todos los periódicos americanos y europeos sin haber adelantado un paso. Este misterio me mortificaba, y en la imposibilidad de formar mi opinión, vacilaba entre uno y otro extremo. No podía ser dudoso que algo había, cuando los incrédulos eran invitados a poner el dedo en la llaga del *Scotia.*

A mi llegada a Nueva York, la cuestión ardía. La hipótesis del islote flotante, del escollo intangible, sostenida por algunas plumas poco competentes, estaba absolutamente abandonada. Y, en efecto, a no tener el escollo una máquina en sus entrañas, ¿cómo podía moverse con tan prodigiosa velocidad?

Asimismo quedó desechada la existencia de un casco flotante, de algún enorme resto de naufragio, siempre por la inexplicable rapidez del movimiento.

Quedaban, para la cuestión, dos soluciones posibles, con lo cual hubo dos distintos bandos de partidarios; por un lado, los que estaban por un monstruo de fuerza colosal; por otro, los que suponían la existencia de una embarcación submarina con extraordinaria fuerza motriz.

Pero esta última hipótesis, muy admisible con todo, no pudo resistir a las investigaciones que en ambos mundos se hicieron. Era poco probable que un simple particular tuviera a su disposición semejante ingenio mecánico. ¿Cuándo y dónde lo hubiera construido, y cómo mantener secreta la construcción?

Solamente un Gobierno podía poseer semejante máquina destructora, y no era imposible que en estos desastrosos tiempos en que el hombre se ingenia para multiplicar la potencia de las armas, ensayase un Estado, sin saberlo los demás, aquel formidable mecanismo. Después de los *chassepots,* los torpedos; después de los torpedos, los arietes submarinos; y después..., la reacción. Al menos así lo espero.

Mas la hipótesis de una máquina de guerra cayó también ante la declaración de los Gobiernos. Como se trataba del interés público, puesto que se perjudicaban las comunicaciones transoceánicas, no podía dudarse de la franqueza de los Gobiernos. Por otra parte, ¿cómo admitir que la construcción del buque submarino hubiese pasado inadvertida para el público? Guardar el secreto en tales circunstancias es dificilísimo para un particular, y ciertamente imposible para un Estado, donde todos los actos son obstinadamente vigilados por las potencias rivales.

Luego, después de todas las pesquisas hechas en Inglaterra, Francia, Rusia, Prusia, España, Italia, América y aun Turquía, quedó definitivamente desechada la hipótesis de un monitor submarino.

Volvió el monstruo a flote, a despecho de las incesantes bromas con que le atacaba la Prensa festiva, y una vez en esta vía, las imaginaciones se dejaron llevar a las más absurdas cavilaciones sobre una ictiología fantástica.

A mi llegada a Nueva York, me hicieron muchas personas el honor de consultarme sobre el inexplicable fenómeno. Había yo publicado en Francia una obra en cuarto y en dos tomos, titulada *Los Misterios de los grandes fondos submarinos.* Este libro, del gusto particular del mundo sabio, hacía de mí un especialista en este ramo, bastante oscuro, de la Historia Natural. Pidiéronme parecer, y mientras pude rechazar la realidad del hecho, me ceñí a la negativa más absoluta. Pero más tarde, rendido a la evidencia, debí explicarme categóricamente. Y así, "el honorable Pedro Aronnax, profesor del Museo de París", fue emplazado por el *New York Herald* para formular una opinión cualquiera.

Tuve que ceder, y hablé, por no serme ya posible callar. Discutí la cuestión por todas sus fases, política y científicamente, y reproduzco aquí la conclusión de un artículo muy nutrido, que publiqué en el número del 30 de abril.

"Así, pues —decía yo después de haber examinado una por una las diferentes hipótesis, quedando desechada toda otra suposición—, es necesario admitir la existencia de un animal marino de excesivo poder.

"Las grandes profundidades del océano son completamente desconocidas para nosotros. La sonda no ha podido alcanzarlas. ¿Qué pasa en esos abismos lejanos? ¿Qué seres habitan y pueden habitar a doce o quince millas debajo de la superficie de las aguas? ¿Cuál es el organismo de esos animales? Apenas es posible conjeturarlo.

"Sin embargo, la solución del problema que me han propuesto puede afectar la forma de dilema.

"O conocemos todas las variedades de seres que pueblan nuestro planeta o no las conocemos.

"Si no las conocemos todas, si la naturaleza tiene secretos todavía para nosotros en ictiología, nada más aceptable que la existencia de peces o cetáceos de especies y aun de géneros nuevos, de organización esencialmente dispuesta para habitar los fondos y las capas inaccesibles a la sonda, y que por un acontecimiento cualquiera, por un capricho, por un antojo, vienen muy de tarde en tarde al nivel superior del océano.

"Si, por el contrario, conocemos todas las especies vivientes, es preciso necesariamente buscar el animal de que se trata entre los seres marinos ya clasificados, y en este caso yo estaría dispuesto a admitir la existencia de un *narval gigante*.

"El narval vulgar, o unicornio de mar, alcanza a veces la longitud de sesenta pies. Quintuplicad, decuplicad esta dimensión, dad al cetáceo la fuerza proporcionada a su talla, acrecentad sus armas ofensivas, y obtendréis el animal deseado. Tendrá las proporciones determinadas por los oficiales del *Shannon*, el instrumento exigido por la perforación del *Scotia*, y la fuerza necesaria para abrir una brecha en el casco de un vapor.

"En efecto, el narval se halla armado con una especie de espada de marfil o alabarda, según la expresión de ciertos naturalistas. Es un diente muy agudo con la dureza del acero. Algunos de estos dientes se han hallado implantados en el cuerpo de las ballenas, a las cuales ataca siempre el narval con ventaja. Otros han sido sacados no sin trabajo de los fondos de embarcaciones, atravesadas de parte a parte como el barreno de un tonel. El Museo de la Facultad de Medicina de París posee una de estas defensas, que tiene dos metros veinticinco centímetros de longitud, por cuarenta y ocho centímetros de anchura en la base.

"Pues bien, suponed un arma diez veces mayor, y

el animal diez veces más poderoso; lanzadlo con una velocidad de veinte millas por hora; multiplicad su masa por su velocidad, y obtendréis un choque capaz de producir la catástrofe ocurrida.

"Por consiguiente, y hasta más amplias noticias, opinaría yo por el unicornio de mar con dimensiones colosales, armado, no ya con alabarda, sino con un verdadero espolón, como las fragatas acorazadas o los *rams* (1) de guerra, cuya masa tendría a la vez igual potencia motriz.

"Así podría explicarse el fenómeno indefinible; a no ser que, a pesar de todo lo visto, sentido y experimentado, no hubiese nada, lo cual también sería posible."

Estas últimas palabras eran de mi parte una bajeza; pero quería cubrir hasta cierto punto mi dignidad de profesor, y no dar que reír a los americanos, que cuando se ríen lo saben hacer bien. Me reservaba una escapatoria, y en el fondo admitía la existencia del monstruo.

Fue mi artículo calurosamente debatido, lo cual le dio mucha publicidad, conquistando a algunos partidarios. Por lo demás, la solución propuesta dejaba libre curso a la imaginación, y el espíritu humano se complace en estas grandiosas concepciones de seres sobrenaturales. Además, el mar es precisamente su mejor vehículo, el único medio en que puedan producirse y desarrollarse esos gigantes, junto a los cuales los animales terrestres, elefantes o rinocerontes, no son más que enanos. Las masas líquidas transportan las mayores especies conocidas de mamíferos, y tal vez ocultan moluscos de incomparable talla, crustáceos de espantosa vista, tales como langostas de cien metros o cangrejos de doscientas toneladas. ¿Y por qué no? Antiguamente, los animales terrestres, contemporáneos de las épocas geológicas, los cuadrúpedos, los cuadrumanos, los reptiles, las aves, estaban construidos sobre plantillas gigan-

(1) Ariete de vapor, especie de buque de hierro con máquina poderosa, pequeño, blindado, con una especie de espolón, con el cual arremete a toda fuerza de máquina contra los buques enemigos

tescas. El Creador los había vaciado en un molde colosal que el tiempo ha ido reduciendo. ¿Por qué el mar, en sus ignoradas profundidades, no ha podido conservar muestras de una antigua vida, puesto que nunca se modifica, mientras que el núcleo terrestre se altera sin cesar? ¿Por qué no habría de ocultar en su seno las últimas variedades de esas especies titánicas, cuyos años son siglos y los siglos son evos?

Pero me estoy entregando a pensamientos que pertenecen al pasado. Dejemos esas quimeras, que el tiempo ha cambiado para mí en realidades terribles. Lo repito, la opinión se interesó por la naturaleza del fenómeno, y el público admitió a pies juntillas la existencia de un ser prodigioso que nada tenía de común con las fabulosas serpientes de mar; otros, más positivos, sobre todo en América e Inglaterra, fueron de parecer que el océano debía quedar purgado de tan temido monstruo, a fin de asegurar las comunicaciones transatláticas. Algunos periódicos trataron la cuestión principalmente bajo este punto de vista. La *Shipping and Mercantile Gazette*, el *Lloyd*, el *Paquebot*, la *Revista Marítima y Colonial*, todas las publicaciones afectas a las Compañías de seguro que amenazaban elevar el tipo de las primas, fueron unánimes en esta cuestión.

Habiéndose pronunciado la opinión pública en este sentido, los Estados Unidos fueron los primeros en decidirse, haciéndose en Nueva York los preparativos para una expedición destinada a perseguir el narval. Una fragata de espolón, de gran marcha, el *Abraham Lincoln*, se dispuso para aparejar lo más pronto posible. Los arsenales se pusieron a disposición del comandante Farragut, que activó el armamento de su fragata.

Precisamente, como siempre sucede, desde que se pensó en perseguir el monstruo, nadie durante dos meses volvió a hablar de él. Ningún buque lo encontró. Tanto se había hablado, hasta por el cable telegráfico transatlántico, que no parecía sino que el unicornio había llegado a saber las trampas que se le preparaban. Por eso los hombres de chispa pretendían que aquel astuto animal había detenido al paso algún telegrama del que se estaba aprovechando.

Así es que por falta de noticias y estando ya la fragata armada para larga campaña, y provista de formidables ingenios de pesca, no se sabía a donde dirigirla. La impaciencia crecía, cuando el 2 de julio se supo que el *Tampico,* vapor de la línea de San Francisco de California a Shanghai, había visto al animal tres semanas antes en los mares septentrionales del Pacífico.

Fue extraordinaria la emoción producida por esta noticia. No se concedieron ni veinticuatro horas de respiro al comandante Farragut. No se le hubiera perdonado ni medio día de tardanza. Por otra parte, el comandante Farragut tampoco deseaba otra cosa que marchar.

Tres horas antes que el *Abraham Lincoln* abandonase el muelle de Brooklyn, recibí una carta redactada en estos términos:

"Al señor Aronnax.

"Profesor del Museo de París
"Fifht Avenue Hotel
"Nueva York.

"Señor:

"Si queréis uniros a la expedición del *Abraham Lincoln,* el Gobierno de la Unión verá con placer que Francia esté representada por vos en esta empresa. El comandante Farragut tiene una cámara a vuestra disposición.

"Muy cordialmente vuestro,

"J. B. HOBSON,
"Secretario de la Marina."

CAPÍTULO III

COMO EL SEÑOR GUSTE

TRES segundos antes de llegar la carta de J. B. Hobson, no tenía yo más idea de perseguir al unicornio que de buscar el paso del Noroeste. Tres segundos después de haber leído el aviso del honorable secretario de la Marina, yo comprendía al fin que mi verdadera vocación, el único objeto de mi vida consistía en dar caza al monstruo perturbador, para libertar de él al mundo.

Fatigado, sin embargo, y ansioso de descanso, acababa yo de llegar de un viaje penoso, sin abrigar otra aspiración que la de ver a mi país, a mis amigos, a mi cuartito del Jardín de Plantas, a mis queridas y preciosas colecciones; pero nada me contuvo. Todo lo olvidé, fatigas, amigos, colecciones, y acepté sin más reflexiones la invitación del Gobierno americano.

—Por otro lado —decía yo—, todos los caminos conducen a Europa, y el unicornio será bastante amable para llevarme hacia las costas de Francia. Este digno animal se dejará coger en los mares de Europa, para mi conveniencia personal, y no quiero llevar menos de medio metro de su espolón de marfil al Museo de Historia Natural.

Pero entretanto había que buscar al narval en el Norte del océano Pacífico, lo cual equivalía a tomar el camino de las antípodas para regresar a Francia.

—¡Consejo! —exclamé con impaciente voz.

Consejo era mi criado, muchacho adicto que en todos mis viajes me acompañaba; buen flamenco a quien yo quería, correspondiéndome él; ente flemático por naturaleza, bueno por principios, celoso por hábito, poco asustadizo de las sorpresas de esta vida, muy mañoso, apto para toda clase de servicios, y, a pesar de su apellido, nada aficionado a dar consejos, aun cuando se los pidiesen.

Con el roce entre los sabios de nuestro Jardín de Plantas, Consejo había llegado a saber algo. Yo tenía con él un especialista muy adiestrado en clasificaciones de Historia Natural, que recorría con una agilidad de acróbata toda la escala de ramificaciones, grupos, clases, subclases, órdenes, familias, géneros, subgéneros, especies y variedades; pero no pasaba su ciencia de aquí. Su vida consistía en clasificar, pero no sabía más. Muy versado en la teoría de la clasificación, poco en la práctica, no hubiera distinguido un cachalote de una ballena. Y con todo, ¡cuán digno y buen muchacho era!

Hasta ahora, y desde diez años antes, Consejo me había seguido a todas las expediciones a que la ciencia me llevaba. Nunca me hizo observación alguna sobre la duración o la fatiga de un viaje, nunca puso reparo en aprestar su valija para marchar al país que fuese, la China o el Congo, por remoto que estuviera. Se iba para allá como para aquí sin preguntar más. Gozaba, por otra parte, de una salud a prueba de toda enfermedad; tenía músculos sólidos, pero no nervios, ni aun la apariencia de ellos, moralmente hablando, se entiende.

Contaba este muchacho treinta años de edad, estando la suya con la de su amo en la relación de quince a veinte. Permítaseme emplear este giro para decir que yo tenía cuarenta años.

Sólo que Consejo adolecía de un defecto: amigo furioso de las formalidades, nunca hablaba más que en tercera persona.

—¡Consejo! —repetí, comenzando con mano febril a hacer mis preparativos de viaje.

Seguramente que yo podía contar con tan adicto muchacho. Por lo común, no le preguntaba jamás si le convenía o no seguirme; pero esta vez se trataba de una expedición que podía prolongarse indefinidamente, de una empresa azarosa, en persecución de un animal capaz de echar a pique una fragata cual una cáscara de nuez. Había motivo de meditarlo despacio, aun para el hombre más impasible del mundo. ¿Qué respondería Consejo?

—¡Consejo! —grité por tercera vez.

Consejo apareció.

—¿El señor me llama? —preguntó al entrar.

—Sí, muchacho. Prepárate, prepárate. Partimos dentro de dos horas.

—Como el señor guste —respondió con tranquilidad Consejo.

—No hay un instante que perder. Encierra en mi maleta todos mis utensilios de viaje, la ropa, las camisas, los calcetines, sin contar nada, pero lo más que quepa, ¡y pronto!

—¿Y las colecciones del señor? —observó Consejo.

—Más tarde nos ocuparemos de ellas.

—¡Cómo! ¿Los archioteros, los hiracoterios, los creodontes, los queropótamos y otras osamentas del señor?

—Las guardarán en la fonda.

—¿Y el babirusa vivo del señor?

—Lo mantendrán durante nuestra ausencia. Por otra parte, daré orden para que nos manden a Francia toda nuestra casa de fieras.

—¿Luego no volvemos a París? —preguntó Consejo.

—Sí, por cierto —respondí evasivamente—, pero dando una vuelta.

—La vuelta que el señor quiera.

—¡Oh! ¡Será poca cosa! Un camino algo menos directo y nada más. Tomamos pasaje en el *Abraham Lincoln*.

—Como convenga al señor —respondió sosegadamente Consejo.

—Ya sabes, amigo, que se trata del monstruo, del famoso narval... ¡Vamos a librar los mares de él! El autor de una obra en cuarto y en dos tomos sobre los *Misterios de los grandes fondos submarinos* no puede excusarse de embarcarse con el comandante Farragut. Misión gloriosa... arriesgada también. No se sabe a dónde se va. Esas alimañas pueden ser muy caprichosas; pero a despecho de todo, iremos. Tenemos un jefe que no se asusta de nada.

—Lo que el señor haga, haré yo —respondió Consejo.

—¿Lo has pensado bien? Porque no quiero ocultarte nada. Es uno de los viajes de donde no se vuelve siempre.

—Como el señor guste.

Un cuarto de hora después ya se hallaban dispuestas las maletas. Consejo lo había hecho todo en un instante, y estaba yo seguro de que nada faltaba, porque aquel muchacho clasificaba las camisas y la ropa tan bien como los pájaros o los mamíferos.

La escalera mecánica de la fonda nos dejó en el gran vestíbulo del entresuelo. Descendí los pocos escalones que conducen al piso bajo, pagué mi cuenta en aquel extenso despacho siempre atestado de una multitud de gente, y di orden de despachar para París mis fardos de animales disecados y plantas secas, haciendo abrir un crédito suficiente para el babirusa. Me metí después en el coche, siguiéndome Consejo.

El vehículo de a veinte francos la carrera bajó por Broadway (1) hasta Union Square, siguió por Fourth Avenue hasta su empalme con Kairin Street, y se detuvo en la trigésimacuarta *pier* (2). Allí el Katrin ferri-boat (3) nos trasladó, hombres, caballos y coche, a Brooklyn, la gran población aneja de Nueva York, situada a la margen izquierda del río del Este, y en algunos minutos llegábamos al muelle, junto al cual vomitaba el *Abraham Lincoln* por sus dos chimeneas torrentes de humo negro.

Trasladóse inmediatamente nuestro equipaje al puente de la fragata. Subí a bordo y pregunté por el comandante Farragut. Me condujo un marinero a la toldilla, donde me encontré delante de un oficial de simpático aspecto que me alargó la mano.

—¿El señor Pedro Aronnax? —preguntó.

—El mismo —respondí—. ¿El comandante Farragut?

—En persona. Sed bien venido, señor profesor. Vuestra cámara os aguarda.

Saludé; y dejándole al cuidado del aparejamiento, me hice guiar a la cámara que me estaba destinada.

El *Abraham Lincoln* había sido perfectamente escogido y dispuesto para su nuevo destino. Era una fragata de poderosa marcha, provista de aparatos de doble caldeamiento que permitían elevar a siete atmósferas la presión del vapor. Bajo esta presión, el *Abraham Lincoln* alcanzaba una velocidad media de dieciocho millas y tres décimas por hora, velocidad considerable, pero insuficiente, sin embargo, para luchar con el gigantesco cetáceo.

Las disposiciones interiores de la fragata correspondían a sus cualidades náuticas. Quedé muy satisfecho

(1) Gran calle que atraviesa casi toda la población de Nueva York. Tiene cinco kilómetros de longitud por veinticuatro metros de anchura, y las casas que se han construido en ella, muchas de ellas de mármol, ostentan el mayor lujo y la más espléndida riqueza.

(2) Especie de muelle afecto al servicio especial de cada edificio.

(3) Barca destinada al pasaje del río.

de mi camarote, situado a popa, y cercano al de los oficiales.

—Aquí estaremos bien —dije a Consejo.

—Tan bien, y no lo lleve a mal el señor —respondió Consejo—, como un Bernardo *el ermitaño* (1) en la concha de una bocina.

Dejé que Consejo colocase convenientemente nuestras maletas, y subí al puente para observar cómo se disponían a aparejar.

En este momento, el comandante Farragut hacía largar las últimas amarras que retenían al *Abraham Lincoln* al muelle de Brooklyn. Sólo un cuarto de hora que me hubiera atrasado, y aun menos todavía, y la fragata se hubiera marchado sin mí, perdiendo aquella expedición extraordinaria, sobrenatural, inverosímil, ante cuya relación verídica no faltarán quizás algunos incrédulos.

Pero el comandante Farragut no quería perder ni un día, ni una hora, para alcanzar los mares donde acababa de ser visto el animal. Mandó llamar al ingeniero.

—¿Tenemos bastante presión? —le preguntó.

—Sí, señor —respondió el ingeniero.

—*¡Ge heah!* —exclamó el comandante Farragut.

A esta orden, que fue transmitida a la máquina por aparatos de aire comprimido, los maquinistas hicieron obrar la rueda motora. El vapor silbó, precipitándose por las correderas entreabiertas. Los largos émbolos horizontales gimieron, e impelieron las barras de conexión. Las aletas de la hélice batieron las aguas con creciente rapidez, y el *Abraham Lincoln* avanzó majestuoso entre un centenar de botes y de *tenders* (2) llenos de curiosos, que le escoltaban.

Los muelles de Brooklyn, y toda la parte de Nueva York que se encuentra sobre la orilla del río del Este estaban cubiertos de curiosos. Tres hurras, brotando de quinientos mil pechos, estallaron, uno tras otro. Millares de pañuelos se agitaron sobre la compacta masa y

(1) Especie de cangrejo de mar que se aloja en los caracoles marinos llamados bocinas o bucinos, destruyendo para ello el molusco que contienen.

(2) Son unos pequeños vapores que están al servicio de los grandes.

saludaron al *Abraham Lincoln* hasta que llegó a las aguas del Hudson, en la punta de aquella península prolongada que constituye la ciudad de Nueva York.

Entonces la fragata, siguiendo por el lado de Nueva Jersey la admirable margen derecha del río, toda llena de caseríos, pasó entre los fuertes, que la saludaron con sus cañones de mayor calibre. El *Abraham Lincoln* respondió arriando e izando tres veces el pabellón americano, cuyas treinta y nueve estrellas resplandecían en el cangrejo de mesana; modificando después su marcha para tomar el canal balizado que sigue una curva por la bahía interior que forma la punta de Sandy Hook, costeó aquella lengua arenosa, donde algunos millares de espectadores le aclamaron otra vez.

La comitiva de botes y *tenders* continuaba siguiendo a la fragata, y no la dejaron hasta la altura del *right-boat* (1), cuyas luces indicaban la entrada de los pasos de Long Island; y a las ocho de la noche, después de haber dejado al Noroeste el faro de Fire Island, surcó a todo vapor las sombrías aguas del Atlántico.

CAPÍTULO IV

NED LAND

Buen marino el comandante Farragut, y digno del buque que estaba a sus órdenes, era el alma de aquel conjunto, la fragata y él, que formaban un solo todo. Sobre la cuestión del cetáceo no abrigaba dudas su entendimiento, y no consentía que se discutiese a bordo la existencia del animal. Creía en él, como ciertas buenas mujeres creen en el leviatán, por fe, más que por razón. El monstruo existía y liberaría de él a los mares; lo había jurado. Era una especie de caballero de Rodas, un Diosdado de Gozón, yendo al encuentro de la ser-

(1) Farola colocada en una embarcación.

piente que desolaba su isla. O el comandante Farragut mataba al narval, o el narval mataba al comandante Farragut. No había otra solución.

Los oficiales de a bordo participaban de la opinión del jefe, y daba gusto oírles hablar, discutir, disputar, calcular las diversas probabilidades de un encuentro, y observar la vasta extensión del océano. Más de uno de ellos se imponía voluntariamente una guardia sobre los bajos del juanete, servicio que en cualquier otra ocasión hubiera maldecido. Durante todo el tiempo en que el sol describía su arco diurno, la arboladura se hallaba poblada de marineros impacientes; y, sin embargo, la rueda del *Abraham Lincoln* no surcaba todavía las aguas sospechosas del Pacífico.

La tripulación no deseaba otra cosa que encontrar al unicornio, arponearle, izarle a bordo y hacerlo trozos. El mar era vigilado con escrupulosa atención. Por otra parte, el comandante Farragut hablaba de cierta suma de dos mil pesos, reservada para quien quiera que fuese, grumete o marinero, maestro u oficial, que descubriese al monstruo. Figúrense todos si los ojos se ejercitarían a bordo del *Abraham Lincoln.*

Por lo que a mí tocaba, no me iba a la zaga, ni a nadie dejaba mi parte de observaciones diarias. La fragata hubiera tenido cien veces razón llamándose *El Argos.* Consejo era el único entre todos que destacaba por su indiferencia en la cuestión que nos apasionaba, desentonando el entusiasmo general que reinaba a bordo.

He dicho que el comandante Farragut había provisto cuidadosamente su fragata con los aparatos convenientes para pescar el gigantesco cetáceo, no compitiendo con él por armamento necesario el mejor ballenero. Poseíamos todos los ingenios conocidos, desde el arpón que se lanza a mano, hasta las balas explosivas y las flechas barbadas que disparan los esmeriles (1). Sobre el castillo había un cañón perfeccionado, de carga por la recámara, de paredes muy gruesas, muy angosto de ánima, y cuyo modelo debía figurar en la Exposición Universal de 1867. Este precioso instrumento, de origen americano, envía sin esfuerzo un proyectil có-

(1) Especie de cañón pequeño.

nico de cuatro kilogramos a la distancia media de dieciséis kilómetros.

No faltaba, pues, en el *Abraham Lincoln* medio alguno de destrucción. Pero aún tenía una cosa mejor. Tenía a Ned Land, el rey de los arponeros.

Era Ned Land un canadiense, cuya habilidad de mano era poco común, y que no conocía rival en su peligroso oficio. Destreza y sangre fría, audacia y sagacidad, cualidades eran que poseía en grado superior, y bien necesitaba ser una ballena muy ladina, o un cachalote singularmente astuto, para librarse de su arponazo.

Rayaba Ned Land en los cuarenta años. Era hombre de elevada estatura, más de seis pies ingleses, vigorosamente conformado, de aspecto grave, poco comunicativo, violento a veces, y muy rabioso cuando le contrariaban. Su persona llamaba la atención, y el poder de su mirada acentuaba singularmente su fisonomía.

Creo que el comandante Farragut había estado muy acertado al tomar aquel hombre a bordo, pues valía él solo por toda la tripulación, tanto por su buen ojo como por su brazo. No puedo compararlo mejor que con un telescopio de gran alcance, que fuera al mismo tiempo un cañón dispuesto a dispararse.

Quien dice canadiense dice francés; y, por escasamente comunicativo que fuese Ned Land, debo confesar que me cobró cierto afecto. Sin duda le atraía mi nacionalidad. Para él era ocasión de hablar, y para mí de escuchar, aquel viejo idioma de Rabelais, que todavía se usa en algunas provincias del Canadá. La familia del arponero era oriunda de Quebec, y formaba ya una tribu de audaces pescadores, cuando esta ciudad pertenecía a Francia.

Poco a poco Ned Land se aficionó a hablar; yo me complacía en oírle relatar sus aventuras de los mares polares. Refería con poesía natural sus pescas y sus combates. Su narración cobraba fuerza épica, y yo creía escuchar a algún Homero canadiense cantando la Ilíada de las regiones hiperbóreas.

Yo describo a aquel audaz compañero tal como actualmente lo conozco. Es que nos hemos hecho viejos amigos, enlazados por aquella inalterable amistad que se engendra y cimenta en las más terribles ocasiones.

¡Ah, bravo Ned! Sólo pido vivir otros cien años para acordarme más tiempo de ti.

Y, ¿cuál sería el parecer de Ned Land en la cuestión del monstruo marino? Debo confesar que era el único a bordo que no participaba de la convicción general y hasta evitaba tratar del asunto; pero me ocurrió un día explorarle acerca de esto.

Durante una magnífica tarde del 30 de julio, es decir, tres semanas después de nuestra partida, hallábase la fragata a la altura de Cabo Blanco, a treinta millas a sotavento de las costas patagónicas. Habíamos traspuesto el trópico de Capricornio, y el estrecho de Magallanes se abría a menos de setecientas millas hacia el Sur. Antes de ocho días el *Abraham Lincoln* surcaría las aguas del Pacífico.

Sentados en la toldilla, Ned Land y yo departíamos de unas y otras cosas, contemplando aquel misterioso mar cuyas profundidades han sido hasta ahora inaccesibles a las miradas humanas. Llevé naturalmente la conversación sobre el unicornio gigantesco, y examiné las diversas probabilidades de éxito bueno o malo de nuestra expedición. Reparando luego que Ned Land me dejaba hablar sin decir apenas nada, lo acosé más directamente.

—¿Cómo podéis, Ned —le dije—, cómo podéis no estar convencido de la existencia del cetáceo que perseguimos? ¿Tenéis motivos particulares para mostraros tan incrédulo?

El arponero me miró durante algunos instantes sin responderme; golpeó con su mano su ancha frente con un ademán que le era habitual, cerró los ojos como para recogerse, y dijo por último:

—Tal vez, señor Aronnax.

—Sin embargo, Ned, vos que sois un ballenero de profesión, vos que estáis familiarizado con los grandes mamíferos marinos, vos cuya imaginación debe aceptar fácilmente la hipótesis de los cetáceos enormes, debiérais ser el último en dudar semejantes circunstancias.

—Estáis equivocado, señor profesor —respondió Ned—. Que el vulgo crea en cometas extraordinarios cruzando el espacio, o en la existencia de monstruos antediluvianos poblando el interior del globo, puede pasar, pero ni el astrónomo ni el geólogo admiten semejantes quimeras. Asimismo acontece con el ballenero. He perseguido muchos cetáceos, los he arponeado, he matado varios; mas por potentes y bien armados que fuesen, ni sus colas ni sus defensas hubieran podido hacer mella en las chapas férreas de un vapor.

—Sin embargo, Ned, se citan bajeles atravesados de parte a parte por el diente de un narval.

—Buques de madera, es posible —respondió el canadiense—, y aun así yo no los he visto. Por consiguiente, niego que las ballenas, ni los cachalotes, ni los unicornios puedan producir ese efecto.

—Escuchadme, Ned...

—No, señor profesor, no. Todo cuanto queráis menos eso. Quizá me vais a hablar de algún pulpo gigantesco.

—Mucho menos, Ned. El pulpo no es más que un molusco, y este nombre indica la poca consistencia de sus carnes. Aunque tuviera quinientos pies de largo, el pulpo, que no pertenece al ramo de los vertebrados, es completamente inofensivo para buques como el *Scotia* o el *Abraham Lincoln.* Debemos, pues, relegar a la categoría de fábulas las proezas de los krakens u otros monstruos de esta especie.

—Entonces, señor naturalista —replicó Ned Land en tono bastante burlón—. ¿Persistís en admitir la existencia de un enorme cetáceo?

—Sí, Ned, lo repito con una convicción apoyada en la lógica de los hechos. Creo en la existencia de un mamífero, poderosamente organizado, que pertenece a los vertebrados, como las ballenas, los cachalotes o los delfines, y provisto de una defensa córnea cuya fuerza de penetración es extraordinaria.

—¡Hum! —exclamó el arponero moviendo la cabeza, con la traza de un hombre que no quiere dejarse convencer.

—Reparad, mi digno canadiense —repliqué—, que si existe ese animal, si habita las profundidades del océano, si frecuenta las capas líquidas situadas a algunas millas por debajo de la superficie de las aguas, posee necesariamente un organismo cuya solidez desafía toda comparación.

—¿Y por qué ese organismo? —exclamó Ned.

—Porque se necesita una fuerza incalculable para mantenerse en las capas profundas resistiendo a su presión.

—¿De veras? —dijo Ned, que me miraba guiñando el ojo.

—De veras, y algunos números os lo probarán.

—¡Oh, los números! —replicó Ned—. Con los números se hace lo que se quiere.

—En negocios, sí; pero no en matemáticas. Escuchadme. Admitamos que la presión de una atmósfera esté representada por la de una columna de agua de treinta y dos pies de altura. En realidad, la columna sería menos elevada, porque se trata del agua del mar, muy superior en densidad a la dulce. Pues bien, Ned, nuestro cuerpo sufre una presión tantas veces igual a la de la atmósfera, o sea de kilogramos por cada centímetro cuadrado de superficie, cuantas veces treinta y dos pies os sumergís. Síguese de aquí que a trescientos veinte pies, esta presión es diez atmósferas; a tres mil doscientos pies, de cien atmósferas; y de mil atmósferas a treinta y dos mil pies, o sea unas dos leguas y media. Esto equivale a decir que, si pudierais llegar a esta profundidad, cada centímetro cuadrado de la superficie de nuestro cuerpo sufriría una presión de mil kilogramos. Ahora bien, mi bravo Ned; ¿sabes cuántos centímetros cuadrados tenéis de superficie?

—Lo ignoro, señor Aronnax.

—Unos diecisiete mil.

—¿Tantos son?

—Y, cómo en realidad, la presión atmosférica es algo superior al peso de un kilogramo por centímetro cuadrado, vuestros diecisiete mil centímetros cuadrados sufren en este momento una presión de diecisiete mil ocho kilogramos.

—¿Sin que yo lo advierta?

—Sin que lo notéis. Y sei no os aplasta semejante presión, es porque el aire penetra en el interior de vuestro cuerpo con igual empuje. De aquí un equilibrio perfecto entre la presión interior y la exterior que se neutraliza, lo cual os permite aguantarlas sin esfuerzo. Pero en el agua es otra cosa.

—Sí, comprendo —respondió Ned, que prestaba ya más atención—; porque el agua me rodearía, pero no me penetraría.

—Precisamente, Ned. Así, pues, a treinta y dos pies por debajo de la superficie del mar sufriríais una presión de diecisiete mil quinientos sesenta y ocho kilogramos; a trescientos veinte pies, diez veces más, o sea ciento sesenta y cinco mil seiscientos ochenta kilogramos; a tres mil doscientos pies, cien veces más, esto es, un millón setecientos cincuenta y seis mil ochocientos kilogramos, y por último, a treinta y dos mil pies, mil veces más, a saber, diecisiete millones quinientos sesenta y ocho mil kilogramos es decir, que resultaríais aplastado como si os colocasen entre los platillos de una prensa hidráulica.

—¡Diantre! —exclamó Ned.

—Pues bien, digno arponero; si hay vertebrados que, teniendo varios centenares de metros de longitud y siendo gruesos en proporción, se mantengan en tales profundidades, hemos de calcular la presión que aguantan por centenares de millones de kilogramos, puesto que miden una superficie de algunos millones de centímetros cuadrados. Suponed ahora cuál deberá ser la resistencia de su osamenta y el poder de su organismo para contrarrestar dichas presiones.

—Es necesario —respondió Ned Land— que estén fabricados con planchas férreas de ocho pulgadas, como las fragatas acorazadas.

—En efecto, Ned; e imaginad entonces los destrozos que puede producir semejante masa, despedida con la velocidad de un exprés, sobre el casco de un buque.

—Ciertamente... que sí... tal vez —repuso el canadiense, derrotado por los números, pero sin querer rendirse.

—Y bien, ¿os he convencido?

—De una cosa, sí, señor naturalista; y es que, en el caso de existir animales de ésos en el fondo del mar, es preciso que sean tan fuertes como lo decís.

—Pero si no existen, testarudo arponero, ¿de qué modo explicáis el accidente sufrido por el *Scotia*?

—Quizá sea... —dijo Ned vacilando.

—Proseguid.

—¡Porque... no es verdad! —exclamó el canadiense, reproduciendo sin saberlo una respuesta de Arago.

Pero esta respuesta no demostraba otra cosa que la obstinación del arponero. Aquel día no insistimos, y eso que el accidente del *Scotia* no podía negarse. El orificio existía de tal modo que había sido necesario taparlo, y no pienso que la existencia de un agujero pueda demostrarse más categóricamente. No siendo posible que aquella fractura se hubiese producido por sí misma, ni habiendo sido causada por rocas o por máquinas submarinas, era necesariamente debida al arma perforante de algún animal.

Ahora bien; a mi modo de ver, y por todas las razones antedichas, ese animal debía pertenecer a los vertebrados, clase de los mamíferos, grupo de los pisciformes, orden de los cetáceos. En cuanto a la familia de que formaba parte, fuese ballena, cachalote o delfín, en cuanto al género que le correspondía, en cuanto a la especie en que convenía clasificarle; era esto una cuestión por dilucidar ulteriormente. Para resolverla, había que disecar al monstruo desconocido; para disecarlo, cogerle, para cogerle, arponearlo; lo cual era asunto de Ned Land; para arponearlo, verle, cosa que atañía a la tripulación; y para verle encontrarlo, cosa que dependía de la casualidad.

CAPÍTULO V

A LA AVENTURA

DURANTE algún tiempo no ocurrió incidente alguno en el viaje del *Abraham Lincoln*, pero se presentó una circunstancia que puso de manifiesto la portentosa habilidad de Ned Land y demostró cuánta confianza cabía tener en él.

A lo largo de las Malvinas, el 30 de junio, la fragata comunicó con unos balleneros americanos, y averiguamos que no habían tenido noticia ninguna del narval. Pero sabiendo uno de ellos, el capitán del *Monroe,* que Ned Land se hallaba a bordo del *Abraham Lincoln,* pidió su ayuda para ir en seguimiento de una ballena que estaba a la vista. Deseoso el comandante Farragut de ver a Ned Land trabajar, le autorizó para pasar a bordo del *Monroe.* La suerte fue tan propicia al canadiense, que en vez de una ballena arponeó dos con doble golpe, hiriendo a la una en el corazón, y apoderándose de la otra después de una persecución de algunos minutos.

Decididamente ya no hubiera apostado yo en favor del monstruo, en el caso de que llegara éste a verse ante el arpón de Ned Land.

La fragata siguió la costa suroeste de América con prodigiosa rapidez, de modo que ya el 3 de julio estábamos a la altura del cabo de las Virgenes. Pero el comandante Farragut no quiso entrar en aquel sinuoso paraje, y maniobró para doblar el cabo de Hornos.

La tripulación le dio la razón por unanimidad, y en efecto, no era probable que el narval pudiera estar en aquel estrecho sitio, y aun había marineros que le suponían demasiado grueso para pasar por allí.

El 6 de julio, hacia las tres de la tarde, el *Abraham Lincoln* dobló a quince millas por el Sur, aquel islote solitario, aquella roca perdida en la extremidad del continente americano, que unos marineros bautizaron con el nombre de su población natal, el cabo de Hornos. Emprendióse el rumbo a Nordeste, y al siguiente día la hélice de la fragata batía por fin las aguas del Pacífico.

— ¡Abre el ojo, abre el ojo! — repetían los marineros del *Abraham Lincoln.*

Y los abrían desmesuradamente. Los ojos y los catalejos, algo deslumbrados a la verdad por la perspectiva de los dos mil pesos, no tuvieron un instante de reposo. De día y de noche se observaba la superficie del océano; y los nictálopes, cuya facultad de ver en la oscuridad aumentaba la probabilidad en un cincuenta por ciento, llevaban gran ventaja para ganar la prima.

No era yo el que menos atención prestaba, aunque no me incitaba a ello el atractivo del premio. Concediendo tan sólo algunos minutos a la comida y algunas horas al sueño, indiferente al sol y a la lluvia, no me movía del puente. Ora inclinado sobre el empalletado del castillo (1), ora apoyado en la batayola (2) de popa, yo devoraba con ávida mirada la espumosa estela que emblanquecía al mar hasta el horizonte. ¡Cuántas veces participé de la emoción de la oficialidad y de la tripulación, cuando alguna caprichosa ballena elevaba su negruzco lomo sobre las olas! Poblábase entonces instantáneamente el puente de la fragata. Las escotillas vomitaban un torrente de oficiales y marineros, y cada uno de ellos observaba con vista turbada y angustioso pecho la marcha del cetáceo. Yo miraba hasta fatigar mi retina y quedarme ciego mientras que Consejo, siempre flemático, me decía en tono sereno:

—Si el señor tuviera la bondad de no abrir tanto los ojos, vería mucho mejor.

¡Pero vana emoción! El *Abraham Lincoln* modificaba su rumbo, corría sobre el animal indicado, simple ballena o cachalote vulgar, que no tardaba en desaparecer entre un coro de imprecaciones.

El tiempo entretanto se mantenía favorable, y el viaje se hacía en las mejores condiciones. Era entonces la mala estación austral, porque el julio de aquella zona corresponde al enero de Europa; pero el mar se conservaba tranquilo y se podía recorrer con la mirada en un extenso perímetro.

Ned Land mostraba siempre la más tenaz incredulidad; afectaba el no examinar la superficie de las aguas fuera de su tiempo de servicio, al menos cuando no había alguna ballena a la vista. Y sin embargo, su portentosa potencia de vista nos hubiera prestado grandes servicios. Pero, de cada doce horas, el obstinado canadiense empleaba ocho en leer o dormir en su camarote. Le reconvine cien veces por su indiferencia.

—¡Bah! —respondía—. No hay nada, señor Aronnax; y aunque lo hubiese, ¿qué probabilidad tenemos de verlo? ¿No estamos corriendo a la ventura? Quiero conceder que ese animal inhallable haya sido visto en

(1) *Empalletado* es el parapeto o barandilla, sobre todo cuando está formado con las camas de la tripulación. *Castillo* es la parte descubierta entre el palo trinquete, o sea, el primero, y la roda o madero que forman la proa.

(2) Barandilla.

las altas aguas del Pacífico; pero ya se han pasado dos meses después del encuentro, y, si hemos de juzgar, por el temperamento de vuestro narval, no le gusta perder mucho tiempo en los mismos parajes. Está dotado de una prodigiosa facilidad de locomoción. Ahora bien, señor doctor, ya sabéis mejor que yo que nada hace la Naturaleza en balde, y que no daría a un animal lento de suyo la facultad de moverse rápidamente si no hubiese de utilizarla. Luego, si el animal existe, ya está lejos.

No sabía yo qué responder a esto, porque era evidente que caminábamos a ciegas. ¿Pero cómo proceder de otro modo? Eran, pues, muy limitadas nuestras probabilidades. Sin embargo, nadie dudaba todavía del éxito, y ningún marinero hubiese apostado contra el narval, ni contra su próxima aparición.

El 20 de julio, el trópico de Capricornio fue cruzado a los 105° de longitud, y el 27 del propio mes atravesábamos el Ecuador por el centésimodecimo meridiano. Consignado esto, la fragata tomó una dirección más marcada al Oeste, y penetró en los mares centrales del Pacífico. Creía con razón el comandante Farragut que era preferible frecuentar las aguas profundas, y alejarse de los continentes o de las islas cuya aproximación había parecido siempre evitar el animal, sin duda porque no había bastante agua para él, según la expresión del contramaestre. La fragata, después de haber renovado su carbón, pasó por lo largo de las islas Pomotú, Marquesas y Sandwich, cortando el trópico de Cáncer a los 132° longitud, y dirigiéndose a los mares de China.

¡Estábamos por fin en el teatro de las últimas hazañas del monstruo! Y, para decirlo todo, ya nadie vivía a bordo. Los corazones palpitaban fuertemente, preparando para el porvenir incurables aneurismas. La tripulación toda experimentaba una sobreexcitación nerviosa, de la cual no podría yo dar idea. No se comía, no se dormía. Veinte veces al día, un error de apreciación, una ilusión de óptica de algún marinero inclinado sobre las crucetas, causaban grandes desilusiones; y estas emociones, veinte veces repetidas, nos mantenían en un estado de incertidumbre demasiado violento para no producir una reacción.

Y en efecto, la reacción no tardó en producirse. Durante tres meses, tres meses en que cada día duraba un siglo, el *Abraham Lincoln* surcó todos los mares septentrionales del Pacífico, corriendo en seguimiento de las ballenas que se divisaban, ejecutando bruscos cambios de rumbo, virando súbitamente de uno a otro bordo, forzando o invirtiendo el vapor sin intermisión, con riesgo de desnivelar su máquina, y no dejó un punto sin explorar desde las playas del Japón a las costas americanas. ¡Y nada! ¡Nada más que la inmensidad de las desiertas olas! ¡Nada que se asemejara a un narval gigantesco, ni a un islote submarino; ni al despojo de un naufragio, ni a un escollo fugaz, ni a cualquiera otra cosa sobrenatural!

Sobrevino, pues, la reacción. El desaliento se apoderó de los ánimos y abrió una brecha a la incredulidad. Nació a bordo un nuevo sentimiento, compuesto de tres décimas de vergüenza por siete décimas de furor. Todos se consideraban tontos por haberlos seducido una quimera; pero esto mismo los enfurecía más. Las montañas de argumentos acumulados durante un año se derrumbaron a un tiempo, y ya no pensaba nadie sino en rescatar las horas de comida o de sueño neciamente perdidas.

Con la movilidad natural del espíritu humano, se pasó de un exceso a otro. Los más ardientes partidarios de la empresa se tornaron sus más encarnizados detractores. La reacción subió desde el fondo del buque, desde el puesto de los paleadores hasta la cámara de oficiales; y ciertamente que sin la muy particular obstinación del comandante Farragut, la fragata hubiera vuelto definitivamente la proa al Sur.

Sin embargo, no era dado prolongar por mucho tiempo aquella pesquisa inútil. El *Abraham Lincoln* había hecho todo lo necesario para el éxito, y no podía ser reconvenido. Nunca había manifestado más paciencia y celo tripulación alguna de la Marina americana, no siendo posible imputarle el mal resultado, por cuya razón ya no restaba otra cosa que regresar.

Se hizo al comandante una observación en este sentido; pero él se mantuvo firme. Los marineros no ocultaron su descontento, y el servicio se resintió de ello. No quiero decir que hubiese rebelión a bordo;

pero después de un razonado período de obstinación, el comandante Farragut, como antiguamente Colón, tuvo que pedir tres días de espera. Si durante este plazo el monstruo no había aparecido, el timonel daría tres vueltas de rueda y el *Abraham Lincoln* tomaría rumbo hacia los mares europeos.

Esta promesa se hizo el 2 de noviembre, y tuvo como primer resultado reanimar a la tripulación, que se dedicó a observar el océano con toda atención. Querían todos consagrarle esa última mirada, en la cual se reasumen los recuerdos. Los anteojos funcionaron con actividad febril. Era aquello un supremo reto lanzado al narval gigante, y éste no podía racionalmente dispensarse de responder a esta intimación de comparecencia.

Transcurrieron dos días. El *Abraham Lincoln* se mantenía a poco vapor, empleándose mil medios para despertar la atención o estimular la apátía del animal, en el caso de hallarlo. Echáronse a la rastra enormes trozos de tocino, debo decir que para mayor satisfacción de los tiburones. Los botes rodaron en todas direcciones alrededor del *Abraham Lincoln,* mientras que se quedaba en facha, y no dejaron un solo punto sin explorar. Pero había llegado la tarde del día 4 de noviembre sin haberse descubierto aún el misterioso submarino.

Al siguiente día, 5 de noviembre, a las doce, expiraba el plazo de espera. Después de marcar el punto, el comandante Farragut, fiel a su promesa, debía dar rumbo al Sureste y abandonar definitivamente las regiones septentrionales del Pacífico.

La fragata se hallaba entonces a los 21° 15' de latitud Norte y 136° 42' de longitud Este. Las tierras del Japón estaban a menos de doscientas millas a sotavento. La noche se acercaba. Acababa de picarse (1) la hora de las ocho. Gruesas nubes velaban el disco lunar, entonces en su primer cuadrante. El mar ondulaba levemente bajo el codaste de la fragata.

En este momento estaba yo a proa, apoyado sobre la batayola de estribor. Consejo, a mi lado, miraba adelante. La tripulación, encaramada sobre los obenques,

(1) En lenguaje marino, *picar la hora* significa dar en una campana tantos golpes como medias horas han transcurrido, empezando a contar desde las cuatro, las ocho a las doce.

examinaba el horizonte, que poco a poco se estrechaba y oscurecía. Los oficiales armados con el anteojo nocturno, escudriñaban la oscuridad creciente. A veces, el sombrío océano chispeaba bajo un rayo que le enviaba la luna entre la franja de dos nubes. Después, esta huella luminosa se desvanecía en las tinieblas.

Al fijar la mirada sobre mi criado Consejo, reconocí que este buen muchacho se dejaba vencer algo por la influencia general. Al menos, así lo creí. Quizá, por la vez primera, sus nervios vibraron bajo la acción de un sentimiento de curiosidad.

—Vamos, Consejo —le dije—: he aquí la última ocasión de embolsar los dos mil pesos.

—Permítame el señor decirle —respondió Consejo—, que nunca he contado con esa prima, y que la Unión no hubiera quedado más pobre aún cuando hubiese ofrecido cien mil pesos.

—Tienes razón, Consejo. Éste es asunto necio, y lo hemos acometido con mucha ligereza. ¡Cuánto tiempo perdido y cuán inútiles emociones! Hace seis meses que podríamos estar en Francia.

—¡En la habitacioncita del señor —replicó Consejo—, en el museo del señor! ¡Y yo hubiera clasificado los fósiles de mi señor! ¡Y el babirusa de mi señor estaría instalado en su jaula del Jardín de Plantas y atraería a los curiosos de la capital!

—Cierto es, Consejo; y sin tener en cuenta que se burlarán de nosotros.

—En efecto —respondió sosegadamente Consejo—, pienso que se burlarán del señor. ¿Y debo decirlo?

—Dilo todo, Consejo.

—Pues bien, el señor no habrá llevado más que su merecido.

—¿De veras?

—Cuando se tiene la honra de ser un sabio como el señor, no debe uno exponerse a...

No pudo Consejo terminar su lisonja. En medio del silencio general acababa de oírse una voz. Era la de Ned Land exclamando:

—¡Ohé! ¡La cosa en cuestión, allí a sotavento, por el través!

CAPÍTULO VI

A TODO VAPOR

AL oír este grito, toda la tripulación corrió hacia el arponero; jefe, oficiales, maestros, marineros, grumetes, hasta los marineros que abandonaron su máquina, hasta los fogoneros, que dejaron sus hornillas. Se había dado la orden de parar, y la fragata ya no corría más que con su velocidad adquirida.

Era profunda la oscuridad; y por buena que fuese la vista del canadiense, no comprendía yo cómo había podido divisar nada.

Mi corazón latía con violencia. Pero Ned Land no se había equivocado, y todos percibimos el objeto que él indicaba con la mano.

A dos cables del *Abraham Lincoln* y de su aleta de estribor, el mar parecía estar alumbrado por debajo. No era un simple fenómeno de fosforescencia, ni podía haber equivocación. El monstruo, sumergido a algunos metros de la superficie de las aguas, proyectaba aquel resplandor, muy intenso, pero inexplicable, que ya los informes de algunos capitanes habían mencionado. Aquella magnífica irradiación debía ser producida por un agente de gran fuerza luminosa, que extendía su acción a un inmenso óvalo, muy prolongado, en cuyo centro se condensaba un foco ardiente, con brillo insostenible, que por degradaciones sucesivas se iba amortiguando.

—No es más que una aglomeración de moléculas fosforescentes —exclamó uno de los oficiales.

—No, señor —repliqué convencido—. Nunca producen tan intensa luz los folados, ni los salpos o truchuelas. Este resplandor es de naturaleza esencialmente eléctrica... Por otro lado, ¡mirad! ¡Cambia de sitio, se mueve adelante, atrás, se lanza sobre nosotros!

Se prorrumpió en un grito general en la fragata.

—¡Silencio! —dijo el comandante Farragut—. ¡Caña a barlovento, toda! ¡Máquina atrás!

Los marineros corrieron a la caña del timón, los ingenieros a su máquina. El vapor quedó inmediatamente invertido, y el *Abraham Lincoln,* virando por babor, describió un semicírculo.

—¡Timón recto! ¡Máquina para avante! —gritó el comandante Farragut.

Ejecutadas estas órdenes, la fragata se alejó rápidamente del foco luminoso.

Me equivoco. Quiso alejarse; pero el ser sobrenatural se acercó con una velocidad doble.

Estábamos angustiosos, manteniéndonos mudos y parados el pasmo más bien que el temor. El animal se recreaba en atajarnos. Dio la vuelta a la fragata, que entonces corría a catorce nudos, y la envolvió en sus ráfagas eléctricas como entre un polvo luminoso. Después se alejó dos o tres millas, dejando un rastro fosforescente semejante a los torbellinos de vapor que despide para atrás la locomotora de un exprés. Súbitamente, desde los oscuros límites del horizonte, donde fue a buscar arranque, el monstruo se lanzó sobre el *Abraham Lincoln* con asombrosa rapidez; se detuvo bruscamente a veinte pies de sus cintas; se extinguió, y no sumergiéndose en las aguas, puesto que su brillo no sufrió degradación alguna, sino de repente, y como si el manantial de tan brillante efluvio se hubiese agotado de pronto. Después apareció de nuevo al otro lado del buque, ya fuese dando vuelta, o ya pasando por debajo de la quilla. A cada momento podía ocurrir una colisión que hubiera sido fatal para nosotros.

Entretanto, las maniobras de la fragata me tenían atónito. Huía y no atacaba. Era perseguida en vez de perseguir, y así lo advertí al comandante Farragut. Su semblante, que en circunstancias ordinarias estaba impasible, revelaba entonces un indefinible asombro.

—Señor Aronnax —me respondió—, yo no sé qué es ese ser formidable con quien he de luchar, y no quiero exponer imprudentemente mi fragata en medio de esta oscuridad. Por otro lado, ¿cómo atacar lo desconocido, cómo defenderse de él? Aguardemos el día, y los papeles se trocarán.

—¿Y no tenéis duda alguna sobre la naturaleza del animal?

—No, señor. Es evidentemente un narval gigantesco, pero también un narval eléctrico.

—Tal vez no podemos acercarnos a él, como sucede con los gimnotos y los tresmielgas (1).

—En efecto; y si posee dentro de sí una potencia fulminante, es con toda la seguridad el animal más terrible que ha formado el Creador. Por eso estaré en guardia.

Toda la tripulación estuvo en pie durante la noche. Nadie pensó en dormir. No pudiendo el *Abraham Lincoln* competir en velocidad, había moderado su marcha y andaba a poco vapor. Por su parte, el narval, imitando a la fragata, se dejaba mecer a merced de las olas y parecía decidido a no abandonar el teatro de la lucha.

Hacia medianoche, sin embargo, desapareció, o para emplear una expresión más exacta, se extinguió, como si fuera una gran luciérnaga. ¿Había escapado? Era de temer y no de esperar que así sucediese. Pero a la una menos siete minutos de la madrugada se oyó un potente silbido, semejante al que produce una columna de agua despedida con extrema violencia.

El comandante Farragut, Ned Land y yo estábamos sobre la toldilla, dirigiendo ávidas miradas a través de las profundas tinieblas.

—Ned Land —dijo el comandante—, ¿habéis oído alguna vez rugir a las ballenas?

—Con frecuencia; pero nunca a ballenas de ese género, cuyo hallazgo me haya producido un beneficio de dos mil pesos.

—En efecto, tenéis derecho a la prima. Pero, decidme: ese sonido, ¿no es semejante al que producen los cetáceos cuando despiden el agua por sus espiráculos?

—Idéntico, señor, pero éste es incomparablemente más fuerte. No hay, pues, motivo de error. Es efectivamente un cetáceo el que está en nuestras aguas. Con

(1) Peces a cuyo contacto se experimenta una descarga eléctrica. El gimnoto puede matar a un caballo con una serie de descargas de su electricidad.

vuestro permiso, le diremos dos palabras mañana al amanecer.

—Si está de humor para atenderos, señor Land —respondí yo con tono convencido.

—Que me pueda yo arrimar a cuatro largos de arpón —dijo el canadiense—; y preciso será que me escuche.

—Pero para ir a su encuentro —repuso el comandante— deberíamos poner una ballenera a vuestra disposición.

—Indudablemente.

—Esto será jugar la vida de mis hombres.

—Y también la mía —respondió simplemente el arponero.

Hacia las dos de la mañana el foco luminoso reapareció; no menos intenso; a cinco millas a barlovento del *Abraham Lincoln.* A pesar de la distancia, a pesar del ruido del viento y del mar, se oían claramente los formidables aletazos que con su cola daba sobre las aguas, y hasta su jadeante respiración. Parecía que, al subir el enorme narval a respirar en la superficie del océano, el aire se precipitaba en sus pulmones como el vapor en los vastos cilindros de una máquina de dos mil caballos.

—¡Hum! —pensé yo—. ¡Una ballena que tuviese la fuerza de un regimiento de caballería, tendría que ver!

Todos estuvieron alerta hasta el alba y se prepararon al combate. A lo largo de los empalletados se dispusieron los ingenios de pesca. El segundo hizo cargar los esmeriles que despiden un arpón a una milla, y las piezas que arrojan balas explosivas, cuya herida es mortal hasta para los animales más poderosos. Ned Lond se había contentado con aguzar su arpón, arma terrible en su mano.

A las seis el alba había comenzando a apuntar, y con los primeros fulgores de la aurora desapareció el resplandor eléctrico del narval. A las siete ya era de día claro; pero una bruma matutina muy espesa estrechaba el horizonte, sin que pudieran penetrarla los mejores anteojos.

Subí a las crucetas de mesana, y algunos oficiales se habían encaramado ya a la perilla de los mástiles.

A las ocho, la bruma se arremolinó sobre las aguas, y sus gruesas volutas se levantaron poco a poco. El horizonte se despejaba y purificaba a la vez. De repente se escuchó, como la víspera, la voz de Ned Land.

— ¡La cosa en cuestión, por babor a barlovento! — gritó el arponero.

Todas las miradas se dirigieron al punto indicado. Allí, a milla y media de la fragata, un cuerpo largo, negruzco, sobresalía un metro sobre las aguas. Su cola, agitada con violencia, producía un enorme remolino. Nunca había batido el mar con tal violencia ningún apéndice caudal.

Una estela inmensa de resplandeciente blancura señalaba el paso del animal y describía una curva prolongada.

La fragata se acercó al cetáceo. Le examinó con toda serenidad de ánimo. Las relaciones del *Shanon* y del *Helvetia* habían exagerado algo sus dimensiones, y calculé que su longitud no pasaba de doscientos cincuenta pies. En cuanto a su grueso, no podía apreciarlo bien; pero, en suma, el animal me pareció estar admirablemente proporcionado en sus tres dimensiones.

Mientras yo observaba aquel ser fenomenal, dos chorros de vapor y de agua fueron despedidos por sus espiráculos alcanzando una altura de cuarenta metros. Deduje definitivamente que pertenecía a los vertebrados, clase de los mamíferos, sub clase de los monodelfianos, grupo de los pisciformes, orden de los cetáceos, familia... De aquí no podía yo pasar. El orden de los cetáceos comprende tres familias: las ballenas, los cachalotes y los delfines, y en esta última están clasificados los narvales. Cada una de estas familias se divide en varios géneros, cada género en especies, y cada especie en variedades. Variedad, especie, género y familia me faltaban aún; pero no dudaba yo de completar mi clasificación con la ayuda del cielo y del comandante Farragut.

La tripulación aguardaba con impaciencia las órdenes del jefe, quien, después de haber observado con atención el animal, mandó llamar al ingeniero. Éste acudió:

—¿Tenéis suficiente presión? —preguntó el comandante.

—Sí, señor —respondió el ingeniero.

—¡Bien; forzad los fuegos, y a todo vapor!

Tres hurras acogieron esta orden. La hora del combate había llegado. Algunos momentos después las dos chimeneas de la fragata derramaban torrentes de humo, y el puente se estremecía con la vibración de las calderas.

El *Abraham Lincoln*, impelido por su poderosa hélice, se dirigió recto sobre el animal. Éste lo dejó acercar con indiferencia a medio cable, y después, desdeñando sumergirse, tomó un corto andar de huida y se contentó con mantenerse a distancia.

Esta persecución se prolongó durante tres cuartos de hora, sin que la fragata atajase dos toesas al cetáceo. Era evidente que con aquella velocidad no se le alcanzaría.

El comandante Farragut se retorcía con furia su espesa perilla.

—¡Ned Land! —exclamó.

El canadiense acudió.

—¿Me aconsejáis todavía que eche mis botes a la mar?

—No, señor —respondió Ned Land—, porque ese animal no se dejará coger.

—¿Qué hacemos entonces?

—Forzar el vapor si podéis. En cuanto a mí, con vuestro permiso, se entiende, voy a instalarme en los barbiquejos (1) del bauprés, y, si llegamos al alcance de arpón, arponearé.

—Andad, Ned Land —respondió el comandante Farragut—. ¡Ingeniero! —gritó—. ¡Aumentad la presión!

Ned Land se fue a su puesto. Los fuegos se activaron; la hélice dio cuarenta y tres vueltas por minuto y el vapor se escapaba por las válvulas. Echada

(1) Los cabos o cadenas con que se sujeta el bauprés al tajamar.

la corredera, se reconoció que el *Abraham Lincoln* andaba a razón de dieciocho millas cinco décimas por hora.

Pero el maldito animal corría también con una velocidad de dieciocho millas cinco décimas.

Durante una hora, la fragata siguió avanzando sin ganar un sólo metro. Esto era humillante para uno de los mejores barcos de la Marina americana. Cundía entre la tripulación una ira sorda, y los marineros injuriaban al monstruo. El comandante Farragut ya no se contentaba con retorcer su perilla: la mordía.

Llamó otra vez al ingeniero.

—¿Habéis llegado al máximo de presión? —le dijo.

—Sí, señor —respondió el ingeniero.

—¿Y vuestras válvulas, están cargadas?

—A seis atmósferas y media.

—Cargadlas a diez.

He aquí una orden americana. ¡No hubieran hecho otro tanto en el Mississippi para ganar una concurrencia (1).

—¡Consejo! —dije a mi buen criado, que estaba junto a mí—. ¿Sabes que vamos probablemente a volar?

—¡Como el señor guste! —respondió Consejo.

Pues bien; declaro que no me disgustaba correr aquel riesgo.

Las válvulas se cargaron. Se atestaron los hornillos de carbón. Los ventiladores enviaron torrentes de aire a los fogones. La velocidad del *Abraham Lincoln* se aumentó. Sus mástiles retemblaron hasta las carlingas (2), y los torbellinos de humo podían apenas hallar paso por las chimeneas demasiado angostas.

Se echó la corredera por segunda vez.

—¿Qué medimos, timonel? —preguntó el comandante Farragut.

—Diecinueve millas tres décimas.

—Forzad los fuegos.

(1) En la navegación del Mississipí, las empresas se hacen en concurrencia por la velocidad de los viajes, sin cuidarse de peligro alguno, siendo por esta razón muy frecuentes los naufragios.

(2) Los asientos en que descansan los palos y mástiles.

El maquinista obedeció. El manómetro señaló diez atmósferas. Pero el misterioso cetáceo avivó también sus fuegos, porque corrió asimismo sus diecinueve millas tres décimas.

¡Qué persecución! No; yo no puedo describir la emoción que me tenía en suspenso. Ned Land estaba en su puesto con el arpón en la mano. Algunas veces el animal nos dejó acercarnos.

—¡Le alcanzamos, le alcanzamos! —gritó el canadiense.

Y luego, cuando se disponía a herir, el cetáceo huía con una rapidez que no puedo apreciar en menos de treinta millas por hora. Y aun se permitía burlarse de la fragata, dando una vuelta alrededor de ella cuando más aprisa andaba. De todos los pechos brotó un grito de furor.

A mediodía no estábamos más adelantados que a las ocho de la mañana.

El comandante Farragut se decidió entonces a emplear medios más directos.

—¡Ah! —exclamó—. Ese animal corre más que el *Abraham Lincoln*. ¡Pues bien! Vamos a ver si dejará atrás a las balas cónicas. ¡Contramaestre, hombres en la pieza de proa!

El cañón del castillo fue inmediatamente cargado y apuntado. El tiro salió, pero la bala pasó a algunos pies por encima del cetáceo, que estaba a media milla.

—¡Otro más diestro! —gritó el comandante—. ¡Y quinientos pesos para el que atraviese a esa bestia infernal!

Un viejo artillero de barba canosa, a quien me parece estar viendo todavía, de ojo sereno y semblante frío, se acercó a la pieza, la puso en posición y apuntó mucho tiempo. Resonó una fuerte detonación, con la cual se mezclaron las exclamaciones de los tripulantes.

La bala dio en el blanco, hirió al cetáceo, pero no en dirección normal, y se deslizó por su redondeada superficie, yendo a perderse a dos millas en el mar.

—¿Cómo es esto? —dijo el viejo artillero iracundo—. ¡Ese bribón debe estar blindado con planchas de seis pulgadas!

—¡Maldición! —exclamó el comandante Farragut.

La caza continuó, y el comandante me dijo inclinándose hacia mí:

— ¡Seguiré la persecución hasta que mi fragata estalle!

— ¡Sí — respondí —, y haréis bien!

Podía esperarse que el animal se cansara y que no fuera indiferente a la fatiga, como una máquina de vapor. Pero nada de eso. Transcurrieron las horas sin que diera señal alguna de fatiga.

Debo decir, en alabanza del *Abraham Lincoln*, que luchó con admirable tenacidad. No calculo en menos de quinientos kilómetros la distancia que recorrió en la malhadada jornada del 6 de noviembre. Pero llegó la noche, que envolvió con sus sombras las agitadas aguas del océano.

Creí entonces que nuestra expedición había concluido, y que ya no volveríamos a ver al fantástico animal. Me equivocaba.

A las diez y cincuenta minutos de la noche, el fulgor eléctrico apareció de nuevo, a tres millas a barlovento de la fragata, tan puro, tan intenso como la noche anterior.

El narval parecía estar quieto. Tal vez fatigado de su jornada, estaba durmiendo, dejándose mecer por las ondulaciones de las aguas. Era una ocasión que el comandante Farragut decidió aprovechar.

Dio sus órdenes. El *Abraham Lincoln* se mantuvo a poco vapor, y avanzó cautelosamente para no despertar a su adversario. No es raro encontrar en el océano ballenas profundamente dormidas, que son entonces atacadas con ventaja; y Ned Land había arponeado a más de una durante su sueño. El canadiense se colocó de nuevo en los barbiquejos de bauprés.

La fragata se acercó sin ruido, paró la máquina a dos cables del animal, y se deslizó sobre su simple andar. Ya no se respiraba a bordo, reinando sobre el puente un silencio profundo. No estábamos a cien pasos del foco ardiente, cuyo brillo crecía y deslumbraba la vista.

En aquel momento, inclinado sobre la batayola del castillo, veía debajo de mí a Ned Land, agarrado con una mano en el moco (1) del bauprés, y blandiendo en la otra su terrible arpón. Apenas le separaban veinte pies del animal inmóvil.

De pronto su brazo se distendió violentamente y arrojó el arpón. Oí el choque sonoro del arma, que parecía haber herido un cuerpo duro.

El fulgor eléctrico se apagó súbitamente, y dos enormes mangas de agua cayeron sobre el puente de la fragata, corriendo de proa a popa como un torrente, derribando a los hombres y rompiendo las trincas del maderámen.

Se produjo un espantoso choque; y, arrojado yo por encima de la batayola sin haber tenido tiempo de agarrarme, fui precipitado al mar.

CAPÍTULO VII

UNA BALLENA DE ESPECIE DESCONOCIDA

La sorpresa producida por aquella caída no impidió que yo conservara una clarísima impresión de las sensaciones por mí experimentadas.

Me vi primero sumergido a unos veinte pies de profundidad. Sin tener la pretensión de igualarme con Byron ni con Edgar Poe, que fueron maestros, soy buen nadador, y aquella inmersión no me hizo perdei la cabeza. Dos vigorosos taconazos me elevaron a la superficie del mar.

Fue mi primer cuidado el de buscar con la vista a la fragata. ¿Habríase advertido mi desaparición? ¿Habría virado de bordo el *Abraham Lincoln*? ¿Ordenaría el comandante Farragut lanzar un bote de socorro? ¿Debía yo esperar mi salvación?

Eran las tinieblas muy profundas. Divisé una masa

(1) Palo adaptado verticalmente al bauprés, y en el cual se encapillan los barbiquejos de los botalones de foque y de pitifoque.

negra que desaparecía por el Este, y cuyos faroles de situación se apagaron a lo lejos. Era la fragata. Yo estaba perdido.

—¡Socorro, socorro! —grité, nadando hacia el *Abraham Lincoln* con desesperada fuerza.

La ropa me estorbaba; porque, pegándola el agua a mi cuerpo, paralizaba mis movimientos. ¡Yo perdía pie! ¡Me ahogaba!

—¡Socorro! —fue el último grito que di.

Llenóse mi boca de agua, y luchando con las olas, me sentí arrastrado al abismo...

De pronto me sentí asido por una mano vigorosa que me levantó violentamente a la superficie del mar, y percibí estas palabras pronunciadas a mi oído:

—Si quiere el señor tomarse la molestia de apoyarse en mi hombro, nadará mucho mejor.

Agarré con una mano el brazo de mi fiel Consejo.

—¡Tú! —le dije—. ¡Tú!

—Yo mismo —respondió Consejo—, y a las órdenes del señor.

—¿Te precipitó al mar el mismo choque y al propio tiempo que a mí?

—De ninguna manera, pero estando al servicio del señor, le he seguido.

Parecíale esto muy natural al digno mozo.

—¿Y la fragata? —pregunté.

—¡La fragata! —respondió Consejo volviéndose de espaldas—. Creo que hará muy bien el señor en no contar con ella.

—¿Qué dices?

—Digo que en el momento de arrojarme al mar oí que los timoneles gritaban: "¡La hélice y el timón, fracturados!"

—¿Fracturados?

—Sí, por el diente del monstruo. Es la única avería que, a mi entender, ha sufrido el *Abraham Lincoln*; pero desgraciadamente para nosotros, ya no puede gobernar.

—¡Entonces estamos perdidos!

—Tal vez —respondió con sosiego Consejo—. Sin embargo, todavía podemos disponer de algunas horas, y en algunas horas mucho puede hacerse.

La imperturbable sangre fría de Consejo me dio ánimo. Yo nadaba con más vigor; pero molestado por la ropa, que me oprimía como una envoltura de plomo, tenía gran dificultad para sostenerme. Consejo lo advirtió.

—Permítame el señor que le haga una incisión —dijo.

Y pasando una navaja abierta por debajo de mi traje, lo rasgó de arriba abajo con gesto rápido. Después me lo quitó prestamente, mientras que yo nadaba por ambos.

A mi vez presté igual servicio a Consejo, y proseguimos nadando uno junto al otro.

Nuestra situación no dejó, sin embargo, de continuar siendo terrible. Quizá no habría sido notada nuestra desaparición, y aun siéndolo, la fragata no podía volver a sotavento para buscarnos, careciendo de timón. No podíamos contar, por lo tanto, más que con los botes.

Consejo, en esta hipótesis, raciocinó con frialdad y formó su plan. ¡Admirable naturaleza! Aquel flemático muchacho estaba sobre las aguas como en su casa.

Se decidió que, no abrigando más esperanzas que la de ser recogidos por los botes del *Abraham Lincoln*, debíamos proceder de manera que pudiéramos aguardarlos durante el mayor tiempo posible. Resolví dividir nuestras fuerzas, a fin de no gastarlas simultáneamente, y se convino lo siguiente: mientras que el uno, echado de espaldas, permanecería quieto con los brazos cruzados y las piernas tendidas, el otro nadaría, impeliéndole. Este oficio de remolcador no debía durar más de diez minutos, y, relevándonos, podíamos sobrenadar durante algunas horas, y quizá hasta el amanecer.

¡Débil probabilidad! ¡Pero la esperanza se halla tan arraigada en el corazón del hombre! ¡Además éramos dos! Aunque esto parezca imposible, aseguro que, si bien yo quería destruir en mí toda ilusión, por más que me empeñaba en desesperarme no podía conseguirlo.

La colisión de la fragata y del cetáceo había ocurrido hacia las once de la noche. Contaba yo, pues, con ocho horas de natación hasta la salida del sol. El esfuerzo es rigurosamente practicable relevándose. El mar, bastante llano, nos fatigaba poco. Trataba yo alguna vez de penetrar con la mirada aquellas profundas tinieblas, tan sólo interrumpidas por la fosforescencia que nuestros movimientos producían. Miraba aquella ondulaciónnes luminosas que se quebraban en mi mano, y cuya superficie chispeante aparecía salpicada de manchas lívidas. Parecía que estábamos sumergidos en un baño de mercurio.

Hacia la una de la madrugada me sentí extraordinariamente cansado. Se apoderó de mis miembros una rigidez producida por violentos calambres. Consejo tuvo que sostenerme, quedándole el cuidado exclusivo de nuestra salvación.

Pronto sentí que el pobre mozo estaba jadeante y que su respiración se hacía corta y fatigosa. Comprendí que no podría resistir mucho tiempo.

—¡Déjame! ¡Déjame! —le dije.

—¿Abandonar a mi señor? ¡Nunca! Cuento con ahogarnos juntos.

En aquel momento la luna apareció entre los bordes de una espesa nube impelida por el viento hacia el Este. La superficie del mar chispeó bajo sus rayos, y esta luz benéfica reanimó nuestras fuerzas. Mi cabeza se levantó. Mis miradas recorrieron todos los puntos del horizonte. Divisé la fragata. Hallábase a unas cinco millas, y sólo formaba una masa sombría apenas discernible. ¡Pero no se veían botes!

Quise gritar. Mas ¿para qué a tan larga distancia? Mis labios entumecidos no dejaron pasar sonido alguno. Consejo pudo articular algunas palabras, y le entendí gritar diferentes veces.

—¡Socorro! ¡Socorro!

Suspendidos un instante nuestros movimientos, prestamos atención; y, a no ser que me engañase uno de esos ruidos que la sangre produce en los oídos, me pareció que un grito respondía al de Consejo.

—¿Has oído?

—¡Sí, sí!

Y Consejo lanzó al espacio otro grito desesperado.

Esta vez no había error posible. Una voz humana respondió a la nuestra. ¿Era la de algún infortunado, abandonado en medio del océano, víctima también del choque, o nos hablaban en medio de las sombras desde algún bote de la fragata?

Consejo hizo un esfuerzo supremo. Se apoyó en mi hombro, y sosteniéndole yo por la energía de una postrera convulsión, se levantó a medias fuera del agua y volvió a caer rendido.

—¿Qué has visto?

—He visto... —murmuró—. He visto... Pero no hablemos..., conservemos todas nuestras fuerzas.

—¿Qué has visto?

Entonces, ¡no sé por qué me vino a la imaginación por primera vez la idea del monstruo...! ¡Sin embargo, aquella voz que habíamos oído...! Ya no existen los tiempos aquellos en que Jonás se refugiaba en el vientre de una ballena.

Entretanto, Consejo seguía remolcándome. Levantaba a veces la cabeza, miraba adelante y daba un grito al cual respondía una voz cada vez más cercana. Yo apenas le oía. Mis fuerzas estaban agotadas. Mis dedos se separaban; mi mano no me proporcionaba ya punto de apoyo; mi boca, excesivamente abierta, se iba llenando de agua salada; un mortal frío se apoderaba de mí. Levanté la cabeza por última vez, y después me sumergí.

En aquel momento tropecé con un cuerpo duro y me agarré a él.

Luego sentí que me sacaban a la superficie, que mi pecho respiraba, y me desmayé...

No tardé en recobrar los sentidos, gracias a unas vigorosas fricciones. Entreabrí los ojos...

—¡Consejo! —dije en voz baja.

—¿Ha llamado el señor? —respondió.

Entonces, a los últimos rayos de la luna que desaparecía en el horizonte, percibí una figura que no era la de Consejo, y al momento la reconocí.

—¡Ned! —exclamé.

—¡En persona, y corriendo tras de su conquistado premio! —respondió el canadiense.

—¿Habéis sido arrojado al mar por el choque de la fragata?

—Sí, señor profesor, pero más afortunado, he podido tomar casi inmediatamente pie sobre un islote flotante.

—¡Un islote!

—O, por mejor decir, sobre vuestro narval gigantesco.

—Explicaos, Ned.

—Sólo que he comprendido en seguida por qué mi arpón, no pudiendo herirle, se embotó sobre su pellejo.

—¿Por qué, Ned, por qué?

—Es porque esta fiera, señor profesor, está hecha con chapa de acero.

Yo necesito aquí recobrar mi espíritu, vivificar mis recuerdos y comprobar mis propias aserciones.

Las últimas palabras del canadiense habían producido una claridad súbita en mis ideas. Me incorporé rápidamente sobre el objeto medio sumergido que nos servía de refugio. Lo golpeé con el pie. Era indudablemente un cuerpo duro, impenetrable, y no aquella sustancia blanda que constituye la masa de los grandes mamíferos marinos.

Pero aquel cuerpo duro podía ser muy bien una osamenta semejante a la de los animales antediluvianos, y todo quedaría reducido a clasificar el monstruo entre los reptiles anfibios, tales como las tortugas o los aligatores.

¡Pues bien; no! El negruzco lomo que me sostenía era liso, bruñido y sin imbricaciones. Producía por el choque un sonido metálico; y por increíble que esto fuera, parecía, digo mal, estaba construido con planchas atornilladas.

No era ya posible dudarlo. El animal, el monstruo, el fenómeno natural que había sorprendido al mundo entero y trastornado la imaginación de los marinos de ambos hemisferios, era un fenómeno más asombroso todavía, un fenómeno hijo de la mano del hombre.

El descubrimiento de la existencia del ser más fabuloso y mitológico no me hubiera sorprendido en tan alto grado. Muy natural es que todo lo prodigioso proceda del Creador. Pero hallar de pronto ante mis ojos misteriosa y humanamente realizado lo imposible, era un acontecimiento capaz de trastornar la razón.

No había, sin embargo, vacilación posible. Estábamos tendidos sobre el lomo de una especie de barco submarino que presentaba, en lo que pude ver, la forma de un inmenso pescado de acero. La opinión de Ned Land ya estaba formada. Consejo y yo no pudimos menos de mostrarnos conformes con él.

—Pero entonces —dije— este aparato encierra dentro de sí un mecanismo de locomoción, así como una tripulación para maniobrarlo.

—Ciertamente que sí —respondió el arponero—, y, sin embargo, hace tres horas que habito esta isla flotante sin que dé señal de vida alguna.

—¿Esta embarcación no se ha movido?

—No, señor Aronnax; flota a merced de las olas, pero no se mueve.

—Ya sabemos con toda seguridad, sin embargo, que está dotada de gran velocidad. Y como se necesita una máquina para producir este movimiento y un maquinista para dirigirla, infiero... que estamos salvados.

—¡Hum! —exclamó Ned Land en tono de duda.

Entonces, y como si se tratase de corroborar mis palabras, se oyó cierto ruido, al parecer hervor, por la parte posterior de tan extraño aparato, cuyo propulsor era evidentemente una hélice, y se puso en movimiento. Tuvimos el tiempo preciso de aferrarnos sobre la parte superior, que sobresalía de las aguas como unos ochenta centímetros. Por fortuna, su velocidad no era excesiva.

—Mientras navegue horizontalmente —repuso Ned Land— nada tengo que decir; pero si tiene el capricho de sumergirse, ¡no doy dos pesos por mi pellejo!

El canadiense hubiera podido decir que menos todavía. Era por lo menos urgente comunicar con los seres encerrados en las entrañas de aquella máquina. Busqué por la superficie una abertura, una escotilla, una boca de entrada; pero las líneas de pernos, sólidamente remachadas sobre la juntura de las chapas, eran rectas y uniformes.

Por otro lado, la luna desapareció, dejándonos en profunda oscuridad. Había que aguardar el día para pensar en los medios de penetrar dentro de aquel barco submarino.

Nuestra salvación dependía, pues, únicamente del capricho de los misteriosos timoneles que gobernasen el aparato, y si se les ocurría sumergirse estábamos perdidos. Salvo este caso, yo no dudaba de la posibilidad de entrar en relación con ellos. Y, en efecto, si no fabricaban ellos mismos el aire necesario a la respiración, preciso era que subiesen de vez en cuando a la superficie del océano para renovarlo. Había, pues, necesidad de una abertura que pusiera el interior del barco en comunicación con la atmósfera.

En cuanto a la esperanza de ser salvados por Farragut, había que renunciar a ella completamente. Navegábamos hacia el Oeste, y calculé que nuestra velocidad, relativamente moderada, alcanzaba doce millas por hora. La hélice batía las olas con regularidad matemática, despidiendo el agua fosforescente a gran altura.

Hacia las cuatro de la mañana, creció la rapidez del aparato. Resistíamos con dificultad a esta vertiginosa marcha cuando las olas nos azotaban. Afortunadamente, Ned halló bajo sus manos una ancha argolla fijada en la parte superior del lomo de acero, y conseguimos aferrarnos a ella con solidez.

Transcurrió por último aquella larga noche. Mi recuerdo incompleto no me permite describir todas las impresiones recibidas. Sólo un detalle me vuelve a la memoria. Durante ciertos recalmones del mar y del viento, yo creía oír varias veces sonidos vagos y una especie de armonía fugitiva causada por lejanos acordes. ¿Cuál era, pues, el misterio de aquella navegación submarina cuya explicación buscaba en vano el mundo entero? ¿Cuáles eran los seres que habitaban en aquel extraño buque? ¿Cuál el agente mecánico que le permitía andar con tan prodigiosa rapidez?

El día apareció. Las brumas de la mañana nos envolvían, pero no tardaron en desvanecerse. Iba yo a examinar con atención el casco superior, especie de plataforma horizontal, cuando sentí que el aparato se sumergía.

—¡Eh, mil diablos! —exclamó Ned Land hiriendo con el pie la sonora chapa—. ¡Abrid, navegantes poco hospitalarios!

Pero era difícil hacerse oír en medio de los ruidosos aletazos de la hélice. Por fortuna, el movimiento de inmersión cesó.

De pronto, en el interior del barco resonó un ruido de herrajes. Se levantó una trampilla; un hombre apareció, dio un grito singular, y desapareció en seguida.

Algunos instantes después, ocho fornidos mocetones, cubierto el rostro, aparecían silenciosamente y nos metían en su formidable máquina.

Capítulo VIII

MOBILIS IN MOBILE

Esta especie de rapto, tan brutalmente ejecutado, se había cumpido con la rapidez del relámpago, sin tener el tiempo de resistirnos mis compañeros y yo. Yo no sé lo que ellos experimentarían al sentirse introducidos en aquella cárcel flotante; por lo que a mí toca, me heló la epidermis un rápido estremecimiento de frío. ¿De quiénes dependíamos? Sin duda de algunos piratas de nuevo género que explotaban el mar a su gusto.

Apenas se cerró la angosta trampilla, cuando me vi envuelto en profunda oscuridad. Mis ojos, deslumbrados por la luz exterior, nada pudieron ver. Sentí que mis pies descalzos se aferraban sobre los travesaños de una escala de hierro. Ned Land y Consejo, vigorosamente asidos, me seguían. En lo bajo de aquella escalera se abrió una puerta, que quedó inmediatamente cerrada sobre nosotros con sonoro estrépito.

Quedábamos solos. ¿Dónde? No podía decirlo, ni apenas imaginarlo. Todo era negro, pero tan absolutamente negro, que, después de algunos minutos, mi vista no había podido aún distinguir una de esas claridades indeterminadas que vagan en medio de las noches más profundas.

Entretanto, Ned Land, enfurecido por aquel modo de proceder, daba libre curso a su indignación.

—¡Mil diantres! —exclamaba—. Ésta es una gente que podría recibir lecciones de hospitalidad de los habitantes de la Caledonia. Ya no les falta más que ser antropófagos. No me sorprendería esto, pero declaro que no seré comido sin protesta.

—Calmaos, amigo Ned, calmaos —respondió tranquilamente Consejo—. No os acaloréis antes de tiempo. Todavía no estamos en el asador.

—En el asador, no —replicó el canadiense—; pero ciertamente que en el horno sí. Y está bastante oscuro. Por fortuna, no he soltado mi *bowie-knif* (1), y veo bastante claro para servirme de él. El primero de estos bandidos que me ponga la mano...

—No irritarse, Ned —le dije—, y no nos comprometáis con inútiles violencias. ¿Quién sabe si nos están escuchando? ¡Procuremos, ante todo, saber dónde nos hallamos!

Caminé a tientas. A los cinco pasos hallé una muralla de hierro hecha con planchas atornilladas. Después, al volverme, tropecé con una mesa de madera, cerca de la cual estaban ordenados algunos banquillos. El piso de aquella cárcel estaba cubierto con una gruesa estera de *phormium* (2) que amortiguaba el ruido de nuestros pasos. Las paredes lisas no presentaban huella alguna de puerta ni ventana. Consejo, dando una vuelta en sentido inverso, se juntó conmigo, y volvimos al centro de aquella cámara, que tendría unos veinte pies de largo por diez de ancho. En cuanto a su elevación, Ned Land, a pesar de su estatura, no pudo medirla.

Había transcurrido ya media hora sin que la situación se modificase, cuando súbitamente nuestros ojos pasaron de la extrema oscuridad a la luz más violenta. Nuestra cárcel se llenó de una materia luminosa tan

(1) Cuchillo de hoja ancha que suelen usar los americanos.

(2) El *phormium* es una especie de cáñamo de Nueva Zelanda, cuyas hojas lanceoladas tienen la longitud de uno o dos metros por cinco a ocho centímetros de ancho. Parten de una raíz tuberosa. En medio sale un vástago de más de dos metros, en ramas que producen flores amarillas. La materia textil se saca de las hojas y es mucho más consistente que el cáñamo, pero no resiste tanto al uso.

viva, que no pude resistir de pronto su fulgor. Por su blancura e intensidad reconocí aquel alumbrado eléctrico que producía alrededor del barco submarino el magnífico fenómeno de fosforescencia que habíamos observado. Después de haber cerrado los ojos involuntariamente, los volví a abrir, y noté que el agente luminoso brotaba de un semiglobo deslustrado que sobresalía en la parte superior de la cámara.

—¡Por fin, ya se ve claro! —exclamó Ned Land, que con el cuchillo en la mano se mantenía a la defensiva.

—Sí —respondí aventurando una antítesis—; pero la situación sigue siendo oscura.

—Tenga el señor paciencia —dijo el impasible Consejo.

El repentino alumbrado de la cámara me había permitido examinar sus menores detalles. No contenía más que la mesa y cinco banquillos. La puerta, invisible, debía estar herméticamente cerrada. Ningún ruido llegaba a nuestros oídos. Todo parecía muerto en el interior de aquel barco. ¿Seguía navegando? ¿Se mantenía en la superficie del océano? ¿Penetraba en sus profundidades? No podía yo adivinarlo.

Pero el globo luminoso no se había encendido sin algún motivo. Yo esperaba, pues, que los tripulantes no tardarían en manifestarse. Cuando se quiere olvidar a los encerrados, no se alumbra el encierro.

No me equivocaba. Percibimos un ruido de cerrojos; la puerta se abrió, y aparecieron dos hombres.

El uno era de corta estatura, pero de músculos vigorosos, ancho de espaldas, robusto de miembros, de cabeza fuerte, cabellera abundante y negra, bigote poblado, mirada viva y penetrante, y en toda su persona se hallaba impresa aquella viveza meridional que caracteriza en Francia a las poblaciones provenzales. Diderot ha pretendido, con razón, que el ademán del hombre es metafórico. Aquel hombrecillo era ciertamente la demostración viva de esta verdad. Se comprendía que, en su lengua habitual, debía prodigar prosopopeyas, metonimias e hipálages, pero no tuve ocasión de comprobarlo, porque delante de mí empleaba un idioma singular y absolutamente incomprensible.

El segundo desconocido merece una descripción más circunstanciada. Un discípulo de Gratiolet o de Engel hubiera leído en su fisonomía como en un libro abierto. Reconocí sin vacilar sus cualidades dominantes, la confianza en sí mismo, porque su cabeza se destacaba noblemente sobre el arco formado por la línea de sus hombros, y sus ojos negros tenían una mirada de fría firmeza; la serenidad, porque su cutis, pálido más bien que teñido, anunciaba la tranquilidad de su sangre; la energía, demostrada por la rápida contracción de los músculos de sus cejas; el valor, en fin, porque su ancha respiración denotaba una gran expansión vital.

Añadiré que aquel hombre era altivo, que su mirada firme y serena parecía reflejar elevados pensamientos y que de todo el conjunto, de la homogeneidad de expresión en el ademán del cuerpo y del semblante, según la observación de los fisonomistas, resultaba una franqueza indiscutible.

Me sentí involuntariamente tranquilizado con su presencia.

Yo no hubiera podido precisar si aquel personaje tenía treinta y cinco o cincuenta años. Su estatura era alta, su frente ancha, su nariz recta, su boca dibujada con perfección, sus dientes magníficos, sus manos finas, largas, eminentemente *psíquicas,* empleando una palabra de quirognomía; es decir, dignas de servir a un alma apasionada. Aquel hombre constituía ciertamente el tipo más admirable que jamás he visto; y como detalle particular diré que sus ojos, algo separados uno de otro, podían abarcar simultáneamente la cuarta parte del horizonte. Esta facultad, según más tarde descubrí, estaba robustecida con un poder de visión superior todavía al de Ned Land. Cuando aquel desconocido fijaba la vista en un objeto, la línea de sus cejas se fruncía, sus anchos párpados se aproximaban hasta dejar circunscrita la pupila, estrechando así la extensión del campo visual, y entonces miraba. ¡Qué mirada! ¡Cómo acercaba a sí los objetos empequeñecidos por la distancia! ¡Cómo llegaba hasta dentro del alma! ¡Cómo penetraba al través de las capas líquidas, tan opacas para nuestros ojos, y cómo leía en lo más profundo de los mares!

Ambos desconocidos, cubiertos con unas boinas de

piel de nutria marina y calzados con botas de piel de foca, llevaban trajes de un tejido particular, que dejaban gran libertad de movimientos.

El más alto, sin duda el jefe, nos examinó con suma atención sin pronunciar una palabra. Volviéndose después hacia su compañero, conversó con él en una lengua que no pude comprender. Era un idioma sonoro, armonioso, flexible, cuyas vocales parecían sometidas a una acentuación muy variada.

El otro respondió con un cabeceo desdeñoso, y añadió dos o tres palabras perfectamente incomprensibles. Después pareció interrogarme directamente con la mirada.

Respondí en buen francés que no entendía su idioma; pero pareció no comprenderme, y la situación se hizo bastante dificultosa.

—Cuente el señor de todos modos nuestra historia —me dijo Consejo—. Estos señores comprenderán quizá algunas palabras.

Empecé la relación de nuestras aventuras, articulando claramente todas las sílabas y sin omitir circunstancia alguna. Dije nuestros nombres y cualidades, y después les presenté en regla al profesor Aronnax, a su criado Consejo y al maestro Land, el arponero.

El hombre de ojos dulces y serenos me escuchó tranquilamente, y hasta con urbanidad y con notable atención. Pero nada en su fisonomía indicaba que hubiese comprendido mi historia. Cuando acabé, no pronunció una sola palabra.

Quedaba el recurso de hablar inglés, que, como lengua casi universal, sería tal vez comprendida. Yo la conocía, así como el alemán, de un modo suficiente para leerla de corrido, mas no para hablarla correctamente. Era aquel un caso en que importaba mucho hacerse comprender.

—Os toca a vos —dije al arponero—. Sacad de vuestro almacén el mejor inglés que jamás haya hablado un anglosajón y procurad ser más afortunado que yo.

Ned no se hizo rogar, y repitió mi relación, que casi comprendí. El fondo fue el mismo, pero la forma casi diferenció, pues el canadiense, llevado de su genio, empleó mucha animación. Se quejó amargamente de estar aprisionado, con olvido del derecho de gentes; preguntó en virtud de qué ley se le retenía; invocó el *habeas corpus;* amenazó perseguir a los que le secuestraban indebidamente, y dió a entender con un gesto expresivo que nos moríamos de hambre, lo cual era perfectamente cierto, pero lo habíamos casi olvidado.

Con gran asombro suyo, el arponero no fue mejor comprendido que yo. Nuestros visitantes permanecieron impasibles, y era evidente que no comprendían ni la lengua de Arago ni la de Faraday.

Muy turbado, y después de haber agotado en vano nuestros recursos filológicos, yo no sabía qué partido tomar, cuando Consejo me dijo:

—Si el señor me autoriza para ello, yo referiré los sucesos en alemán.

—¡Cómo! ¿Tú sabes el alemán? —exclamé.

—Como un flamenco.

—Comienza pues, a contar, muchacho.

Y Consejo, con su voz tranquila, refirió por vez tercera las diferentes peripecias de nuestra historia. Pero a pesar de los elegantes giros y de la bella actuación, la lengua alemana tampoco tuvo éxito alguno.

Por último, exasperado ya, utilicé todo lo que recordaba de mis primeros estudios y emprendí la relación de nuestras aventuras en latín. Cicerón se hubiera tapado los oídos, enviándome a la cocina. Pero conseguí salir del paso. Igual resultado negativo.

Abortada esta última tentativa, mediaron entre ambos desconocidos algunas palabras en su lengua incomprensible, y se retiraron sin habernos dirigido siquiera uno de esos ademanes tranquilizadores que se emplean en todos los países del mundo. La puerta volvió a cerrarse.

—¡Esto es una infamia! —exclamó Ned Land, que se irritó por vigésima vez—. ¡Cómo! ¿Se habla en francés, inglés, alemán, latín a esos pícaros, y ninguno de ellos tiene la cortesía de responder?

—Calmaos, Ned —dije al fogoso arponero—; a nada conduce la ira.

—Pero sabéis, señor profesor —repuso nuestro irascible compañero—, que se puede morir perfectamente de hambre en esta jaula de hierro.

—¡Bah! —dijo Consejo—. Con algo de filosofía todavía podemos aguantar mucho.

—Amigos míos —expuse—, no hay que desesperarse. Nos hemos hallado en trances peores. Hacedme el favor de aguardar para formar una opinión sobre el jefe de este barco.

—Mi opinión ya está formada —dijo Ned Land—. Son unos tunos.

—Bien, ¿pero de qué país?

—Del país de los tunos.

—Ese país, valiente Ned, no está aún bastante indicado en el mapamundi, y declaro que la nacionalidad de esos dos desconocidos es difícil de determinar. Ni ingleses, ni franceses, ni alemanes, eso es todo lo que podemos afirmar. Sin embargo, me inclinaría a suponer que el jefe y su segundo han nacido en latitudes bajas. Hay en ellos algo de meridional. Pero ¿son españoles, turcos, árabes o indios? No me permite decirlo su tipo físico. En cuanto a su lengua, es absolutamente incomprensible.

—Ese es el inconveniente de no saber todos los idiomas —respondió Consejo—, o la desventaja de no existir una lengua única.

—Lo cual no serviría para nada —respondió Ned Land—. ¿No veis que esa gente tiene un idioma suyo inventado para hacer desesperar a unos hombres que piden de comer? Pero en todos los pueblos del mundo, el abrir la boca, mover las quijadas, el chasquear los dientes y los labios, no son cosas comprensibles? ¿No quiere decir eso en Quebec como en el Pomotú, en París como en los antípodas, tengo hambre, dadme de comer?

—¡Oh! —exclamó Consejo—. ¡Hay naturalezas tan poco inteligentes...!

Al decir esto, la puerta se abrió. Un *steward* (1) entró. Traíanos ropa, chaquetas y pantalones hechos con una tela cuya especie no conocí. Me vestí aprisa, imitándome los compañeros.

Entretanto, el criado, mudo y tal vez sordo, había dispuesto la mesa, poniendo tres cubiertos.

(1) Criado.

—Esto ya va siendo serio —dijo Consejo—, y los augurios son buenos.

—¡Bah! —respondió el quisquilloso arponero—. ¿Qué demonio queréis que comamos aquí? ¿Hígado de tortuga, solomillo de tiburón, bistec de perro de mar?

—Ya lo veremos —dijo Consejo.

Los platos, cubiertos con una tapa de plata, fueron simétricamente colocados sobre el mantel, y nos sentamos a la mesa. Decididamente estábamos en relaciones con gente civilizada; y sin la luz eléctrica que nos circundaba, hubiérame creído estar en el comedor de la fonda Adelphi, de Liverpool, o del Gran Hotel en París. Debo decir, sin embargo, que no había ni pan ni vino. El agua era fresca y clara, pero no más que agua, lo cual no agradó a Ned Land. Entre los manjares que nos sirvieron, reconocí diversos pescados primorosamente aderezados, pero no pude conocer otros platos, por cierto excelentes, ni me hubiera sido posible determinar a qué reino, vegetal o animal, pertenecía su contenido. En cuanto al servicio de mesa, era elegante y de un gusto perfecto. Cada objeto, cuchillo, tenedor, cuchara, plato, tenía una letra rodeada de una divisa, y cuyo facsímile es el siguiente:

¡Móvil dentro del elemento móvil! Esta divisa se aplicaba perfectamente al aparato submarino, con la condición de traducir la preposición *in* por *dentro* y no por *sobre*. La letra N era sin duda la inicial del nombre del personaje enigmático que mandaba en el fondo de los mares.

Pero Consejo y Ned no hacían tantas reflexiones.

Devoraban, y no tardé en imitarlos. Por lo demás, ya estaba yo tranquilizado acerca de nuestra suerte, y no creía que llegáramos a morir de hambre.

Sin embargo, todo acaba aquí abajo; todo se pasa aun el hambre de los que han estado quince horas sin comer. Satisfecho nuestro apetito, se dejó imperiosamente sentir la necesidad del sueño, reacción muy natural después de la interminable noche durante la cual habíamos luchado con la muerte.

— A fe mía que pienso dormir bien — dijo Consejo.

— Y yo ya estoy durmiendo — respondió Ned Land.

Mis dos compañeros se tendieron sobre la alfombra de la cámara, y quedaron bien pronto sumidos en el sueño más tenaz.

Por mi parte, yo cedí con menos facilidad a esta violenta necesidad de dormir. En mi ánimo se acumulaban demasiados pensamientos, se amontonaban demasiadas cuestiones insolubles, y eran demasiadas también las imágenes que mantenían mis párpados entreabiertos. ¿Dónde estábamos? ¿Cuál era la extraña potencia que nos conducía? Yo sentía, o más bien creía sentir, que el aparato descendía hacia las capas más hondas del mar. Me asaltaban horribles pesadillas. Yo entreveía en aquellos misteriosos abismos todo un mundo de animales desconocidos, a cuyo mismo género parecía pertenecer el barco submarino, viviendo, moviéndose, formidables como ellos... Luego mi cerebro se fue aquietando, mi imaginación se fue agrietando en un vago sopor, y bien pronto quedé entregado a un profundo sueño.

Capítulo IX

LAS IRAS DE NED LAND

Ignoro cuánto duró aquel sueño, pero debió ser muy prolongado, puesto que reparó completamente nuestras fatigas. Me desperté el primero. Mis compañeros no se habían movido todavía y permanecían tendidos como masas inertes.

Apenas levantado de aquel lecho algo duro, sentí que mi cerebro estaba despejado y mi inteligencia clara. Entonces comencé de nuevo el atento examen de nuestra celda.

Ninguna de sus disposiciones interiores resultaba cambiada. La cárcel seguía siendo cárcel, y los presos, presos.

Entretanto, el criado, aprovechándose de nuestro sueño, había levantado la mesa.

Nada se descubría, pues, que indicase una modificación cercana de nuestra situación, y se me ocurrió seriamente la idea de si estaríamos destinados a vivir indefinidamente en semejante jaula.

Me pareció esta perspectiva tanto más penosa, cuanto que, si mi cerebro se hallaba libre de las preocupaciones de la víspera, sentía una opresión singular en el pecho. Aunque ancha la celda, era evidente que habíamos consumido en gran parte el oxígeno que contenía. En efecto; cada hombre gasta en una hora el oxígeno encerrado en cien litros de aire; y este aire, cargado entonces de una cantidad casi igual de ácido carbónico, se hace irrespirable.

Era urgente, pues, renovar la atmósfera de nuestra prisión, y sin duda también la de todo el barco submarino.

Con este motivo se me ocurrió preguntarme: ¿Qué procedimiento seguía el jefe de esta mansión flotante? ¿Obtenía el aire por medios químicos, desprendiendo por el calor el oxígeno contenido en el clorato de potasa y absorbiendo el ácido carbónico con la potasa cáustica? En este caso debía haber conservado alguna relación con los continentes, a fin de proporcionarse las materias necesarias para esta operación. ¿Se limitaba tan sólo a almacenar el aire, comprimido a altas presiones en receptáculos convenientes, y a distribuirlo luego según las necesidades de la tripulación? Tal vez. ¿Se contentaba, siguiendo un procedimiento más cómodo y económico, y por consiguiente más probable, con ir a respirar a la superficie de las aguas, cual un cetáceo, renovando para veinticuatro horas su provisión de oxígeno? Cualquiera que fuese el método, me parecía prudente emplearlo sin tardanza.

En efecto, tenía ya que multiplicar mis inspiraciones para absorber el poco oxígeno que contenía la celda, cuando me sentí de repente refrescado por una corriente de aire puro y perfumado con emanaciones salinas. Era la brisa del mar, vivificante y cargada de yodo. Abrí ampliamente la boca, y mis pulmones se saturaron con frescas moléculas. Al propio tiempo sentí una oscilación, un movimiento de amplitud regular y perfectamente comprensible. El barco, el monstruo de hierro, acababa de subir evidentemente a la superficie del océano, para respirar, a modo de las ballenas. El sistema de ventilación del aparato quedaba, por consiguiente, perfectamente reconocido.

Después que absorbí aquel aire con todos mis pulmones, busqué el conducto, el *aerífero,* si se quiere, que daba paso al benéfico efluvio, y no tardé en encontrarlo. Sobre la puerta había un orificio de ventilación que dejaba pasar una fresca columna de aire, renovándose así la empobrecida atmósfera de la celda.

Mis observaciones llegaban aquí, cuando Ned y Consejo se despertaron al mismo tiempo bajo la influencia de aquella ventilación vivificadora. Se restregaron los ojos, se desperezaron, y se pusieron de pie en un instante.

—¿Ha dormido bien el señor? —me preguntó Consejo con su urbanidad cotidiana.

—Muy bien, mi buen muchacho —respondí—. ¿Y vos, maese Ned Land?

—Profundamente, señor profesor. Pero no sé si me engaño; me parece que respiro algo así como cierta brisa de mar.

Un marino no podía equivocarse, y referí al canadiense lo que había pasado durante su sueño.

—Bien —dijo—. Eso explica perfectamente aquellos mugidos que oíamos cuando el pretendido narval se hallaba a la vista del *Abraham Lincoln.*

—Perfectamente, señor Land; era su respiración.

—Sólo que no tengo, señor Aronnax, idea alguna de la hora que es, a no ser que sea la de comer.

—¡La hora de comer, digno arponero! Decid, al

menos, la hora de almorzar, porque estamos de seguro en el día siguiente al de ayer.

—Lo cual demuestra —respondió Consejo—, que hemos estado durmiendo veinticuatro horas.

—Así lo creo —respondí.

—No lo contradigo —replicó Ned Land—. Pero sea comida o almuerzo, el criado será bien venido cuando traiga lo uno o lo otro.

—Lo uno y lo otro —dijo Consejo.

—Precisamente —respondió el canadiense—, tenemos derecho a dos comidas, y por mi cuenta haré frente a ambas.

—Pues bien, Ned, aguardemos —respondí—. Está claro que esos individuos no tienen intención de matarnos de hambre; porque en este caso, la comida de ayer no tendría significación alguna.

—¡A no ser que quieran cebarnos! —repuso Ned.

—Yo protesto —repliqué—. No hemos caído en manos de caníbales.

—Un solo hecho no hace el hábito —contestó el canadiense—. ¿Quién sabe si estas gentes están privadas hace tiempo de carne fresca? Y, en este caso, tres particulares sanos y bien constituidos, como el señor profesor, su criado y yo...

—Alejad esas ideas, amigo Land —exclamé—; y sobre todo, no saquéis de ahí motivo para irritaros contra nuestros huéspedes, lo cual agravaría la situación.

—En todo caso —dijo el arponero—, tengo una hambre endiablada; y, comida o almuerzo, los manjares no vienen.

—Amigo Land, es menester conformarse con el reglamento de a bordo; y supongo que nuestro estómago adelanta sobre la campana del cocinero en jefe.

—Pues bien, lo pondremos en hora —respondió tranquilamente Consejo.

—En eso os conozco, amigo Consejo —dijo el impaciente arponero—. Gastáis poco vuestra bilis y vuestros nervios. Siempre calmoso. ¡Seríais capaz de decir algún chiste antes del gorigori, y de morir de hambre sin quejaros!

—¿Y de qué me serviría? —preguntó Consejo.

—¡Os serviría para quejaros! ¡Algo es algo! Y si

los piratas, digo piratas por respeto y por no contrariar al señor profesor, que prohíbe llamarlos caníbales, si esos piratas se figuran que van a guardarme en esta jaula donde me ahogo, sin aprender con qué especie de ternos sazono yo mi acaloramiento, se engañan. Vamos, señor Aronnax, hablad con franqueza. ¿Creéis que nos van a tener mucho tiempo en esta caja de hierro?

—A decir verdad, no tengo mejores noticias que vos, amigo Land.

—Pero, en fin, ¿qué suponéis?

—Supongo que la casualidad nos ha hecho dueños de un secreto importante. Ahora bien; si la tripulación de este barco tiene interés en guardarlo, y si este interés es más grave que la vida de tres hombres, creo que nuestra existencia está muy comprometida. En el caso contrario, a la primera ocasión el monstruo que nos ha tragado nos restituirá al mundo habitado por nuestros semejantes.

—A no ser que nos reclute para la tripulación —dijo Consejo—, y nos guarde así...

—Hasta el momento —replicó Ned Land— en que alguna fragata, más rápida o más hábil que el *Abraham Lincoln,* se apodere de este nido de filibusteros, y envíe a su tripulación y a nosotros a respirar por última vez en la punta de su verga mayor.

—Bien pensado, amigo Land —dije yo—. Pero todavía no nos han hecho proposiciones de ese género. Inútil es, pues, que discutamos el partido que debamos tomar en caso necesario. Os lo repito, aguardemos; tomemos consejo de las circunstancias, y no hagamos nada, puesto que nada hay que hacer.

—Al contrario, señor profesor —respondió el arponero, que no quería abandonar la discusión—, es menester hacer algo.

—¿Y qué, señor Land?

—Escaparnos.

—Escaparse de una cárcel terrestre suele ser difícil; pero de una cárcel submarina, eso me parece absolutamente impracticable.

—Vamos, amigo Ned —dijo Consejo—; ¿qué responderéis a la objeción del señor? Yo no puedo creer que un americano tenga nunca sus recursos agotados.

El arponero, visiblemente contrariado, callaba. Una fuga, en las condiciones en que la casualidad nos había colocado, era absolutamente imposible. Pero un canadiense es medio francés, y Ned Land lo demostró bien con su respuesta.

—Así, pues, señor Aronnax —repuso después de algunos momentos de meditación—, ¿no acertáis lo que deben hacer unas personas que no pueden escaparse de la cárcel?

—No, amigo mío.

—Pues es muy sencillo; es menester que se compongan de modo que puedan quedarse en ella.

—¡Naturalmente! —exclamó Consejo—. Siempre vale más quedarse dentro que encima o debajo.

—Pero después de haber echado fuera a los carceleros, llaveros o guardas —añadió Ned Land.

—¡Cómo! ¿Os ocurre seriamente la idea de apoderaros de este barco?

—Muy seriamente —respondió el canadiense.

—Es imposible.

—¿Por qué, señor? Puede sobrevenir una ocasión favorable, y no veo qué es lo que podría impedirnos aprovecharla. Si no son más que unos veinte hombres a bordo de la máquina, supongo que no nos harán retroceder.

Era mejor admitir la suposición del arponero que contradecirla. Así es que me limité a responder:

—Dejemos venir las circunstancias, señor Land, y veremos. Pero hasta entonces os ruego que contengáis la paciencia. Solamente se puede obrar por astucia, y no será acalorándoos como daréis lugar a ocasiones favorables. Prometedme, pues, que admitiréis la situación sin encolerizaros demasiado.

—Os lo prometo, señor profesor —respondió Ned Land en tono que no inspiraba mucha confianza—. No saldrá de mis labios una sola voz malsonante, ni me dejaré llevar de ningún ademán violento, aun cuando el servicio de la mesa no se haga con toda la regularidad debida.

—Cuento con vuestra palabra, Ned —respondí al canadiense.

Y en seguida quedó suspendida la conversación,

entregándonos a la meditación cada uno de nosotros aparte. Declaro que, a pesar de las seguridades dadas por el arponero, no alimenté ilusión alguna, ni podía yo admitir tampoco las ocasiones probables que para escaparnos había supuesto. El barco submarino no podía tener una buena maniobra sin una tripulación numerosa, y, por consiguiente, en el caso de una lucha tendríamos que combatir contra demasiada gente. Por otro lado, necesario era lo primero de todo que estuviéramos libres, y no lo estábamos, ni se me ocurría medio alguno para salir de aquella prisión de hierro tan herméticamente cerrada. Y a poco que el extraño jefe de aquel barco tuviese algún secreto que guardar, lo cual era por lo menos probable, no nos permitiría obrar libremente a bordo. Pero, ¿se desembarazaría de nosotros por la violencia, o nos dejaría en algún rincón de la tierra? No podíamos saberlo, mas las peores hipótesis me parecían aceptables y era necesario ser arponero para abrigar la esperanza de recobrar la libertad.

Comprendí por otro lado, que las ideas de Ned se iban agriando con las reflexiones que acudían a su cerebro. Oía yo los juramentos que cual sordos gruñidos se producían en el fondo de su garganta, sus ademanes iban adquiriendo carácter amenazador. Se levantaba, se movía cual una fiera encerrada en su jaula, golpeaba las paredes con los pies y con los puños. El tiempo, en tanto, transcurría; el hambre se dejaba sentir con fuerza, y esta vez el criado no venía. Esto era ya olvidar por demasiado tiempo nuestra posición de náufragos, si es que existían buenas intenciones hacia nosotros.

Ned Land, atormentado por las famélicas ansias de su robusto estómago, se iba gradualmente acalorando; y a pesar de su promesa, temía yo una explosión cuando se viese delante de alguno de los hombres de a bordo.

Esta ira de Ned Land tuvo aún dos horas de crecimiento. Llamaba, gritaba, pero siempre en vano. Las paredes de hierro se mantenían sordas. Ni siquiera se oía el menor ruido en el interior del barco, que parecía muerto. No se movía, porque de seguro hubiéramos sentido los estremecimientos del casco bajo el impulso de la hélice. Sumergido, sin duda, en el abismo de las aguas, no pertenecía ya a la tierra. Todo aquel sombrío silencio era espantoso.

En cuanto a nuestro abandono, a nuestro aislamiento en el fondo de nuestra celda, no me atrevía a calcular lo que podía durar. Las esperanzas concebidas después de nuestra entrevista con el jefe se iban paulatinamente desvaneciendo. La dulce mirada de aquel hombre, la expresión generosa de su fisonomía, la nobleza de su actitud, todo desaparecía de mi memoria y se me presentaba el enigmático personaje tal como debía ser, necesariamente despiadado y cruel. Le consideraba fuera de la humanidad, inaccesible a todo sentimiento de compasión, enemigo implacaba de sus semejantes, a quienes había debido consagrar un odio imperecedero.

Pero ¿trataba ese hombre de condenarnos a la muerte por inanición, encerrados en prisión estrecha y entregados a esas horribles tentaciones a que impele el hambre feroz? Tan atroz idea adquirió en mi ánimo una intensidad terrible, y con ayuda de la imaginación, me sentía acometido de un inmenso espanto. Consejo permanecía sereno. Ned Land bramaba.

En aquel momento se sintió un ruido exterior y sonaron pasos en el suelo de metal. Los cerrojos fueron descorridos, la puerta se abrió, y apareció el criado.

Antes de poder hacer el menor movimiento para impedirlo, el canadiense se había arrojado sobre aquel desgraciado, y derribándole, lo tenía agarrado por la garganta. El *stewart* se ahogaba bajo la presión de aquellos potentes dedos.

Consejo procuraba sacar de las manos del arponero la víctima medio estrangulada, y yo iba a añadir mis esfuerzos a los suyos, cuando de pronto quedé paralizado por estas palabras pronunciadas en francés:

—Calmaos, señor Land; y vos, señor profesor, tened la bondad de escucharme.

CAPÍTULO X

EL HOMBRE DE LAS AGUAS

QUIEN así hablaba era el jefe de a bordo.

Al oír aquellas palabras, Ned Land se levantó súbitamente. El *stewart,* casi estrangulado, salió tambaleándose ante una seña del jefe; y tal era el ascendiente de éste entre su gente, que ni un solo ademán reveló el resentimiento que el criado debía tener contra el canadiense. Consejo, sobrecogido de interés a pesar suyo, y yo estupefacto, aguárdábamos silenciosos el desenlace de la escena.

El jefe, apoyado sobre el ángulo de la mesa, y cruzado de brazos, nos observaba con profunda atención. ¿Dudaba si nos hablaría? ¿Estaba pesaroso de las palabras que acababa de pronunciar en francés? Así podía creerse.

Después de algunos instantes de un silencio que nadie pensó en interrumpir, dijo con acento penetrante y sosegado:

—Señores, hablo lo mismo el francés que el inglés, el alemán y el latín. Hubiera podido, por consiguiente, responderos en nuestra primera entrevista; pero quería yo conoceros primero y meditar después. Vuestra relación cuádruple, absolutamente semejante en el fondo, me ha confirmado la identidad de vuestras personas. Ahora sé que la casualidad ha puesto en mi presencia al señor Pedro Aronnax, profesor de Historia Natural en el Museo de París, encargado de una misión científica en el extranjero, a su criado Consejo y a Ned Land, de origen canadiense, arponero a bordo de la fragata *Abraham Lincoln,* de la Marina nacional de los Estados Unidos de América.

Me incliné en señal de asentimiento. El jefe no me hacía ninguna pregunta. Por consiguiente nada tenía yo que responder. Se expresaba aquel hombre con perfecta soltura y sin resabio alguno. Su frase era correcta, sus palabras precisas, su facilidad de locución admirable. Y sin embargo, no me causaba la impresión de un compatriota.

Prosiguió hablando en estos términos:

— Os habrá parecido que he tardado mucho en haceros esta segunda visita. Es que, una vez reconocida vuestra identidad, quería yo pensar con madurez el partido que debía tomar. He vacilado mucho. Las circunstancias más lamentables os han puesto en presencia de un hombre que ha roto sus lazos con la humanidad. Habéis venido a turbar mi existencia.

— Involuntariamente — dije.

— ¿Involuntariamente? — respondió el desconocido esforzando la voz —. ¿Acaso me persigue involuntariamente el *Abraham Lincoln* por todos los mares? ¿Acaso habéis tomado involuntariamente pasaje en la fragata? ¿Acaso vuestras balas han rebotado involuntariamente sobre el casco de mi embarcación? ¿Acaso Ned Land me ha arponeado involuntariamente?

En estas palabras sorprendí una irritación reprimida. Pero ante semejantes recriminaciones tenía una respuesta muy natural que hacer, y la hice.

— Ignoráis sin duda — le dije — las discusiones que habéis provocado en América y Europa. No sabéis que ciertos accidentes producidos por el choque de vuestro aparato submarino han sobreexcitado la opinión pública en ambos continentes. Omito las innumerables hipótesis con que se quería explicar el indefinible fenómeno cuyo secreto solamente vos poseéis. Pero sabed que, al perseguiros hasta los altos mares del Pacífico, el *Abraham Lincoln* creía dar caza a algún poderoso monstruo marino del que era necesario a toda costa liberar al océano.

Asomó a los labios del jefe una casi sonrisa, y luego respondió en tono más tranquilo.

— Señor Aronnax, ¿os atreveríais a asegurar que vuestra fragata no hubiera perseguido y cañoneado a un barco submarino lo mismo que a un monstruo marino?

Esta pregunta me sorprendió, porque es bien seguro que el comandante Farragut no habría vacilado en pensar que su deber le exigía destruir un aparato de este género, lo mismo que un narval gigantesco.

—Ya comprenderéis —repuso el desconocido— que tengo el derecho de trataros como a enemigos.

Nada respondí. ¿Para qué? ¿Era discutible semejante aserción cuando la fuerza puede destruir los mejores argumentos?

—Lo he pensado mucho —dijo el jefe—. No tenía obligación de daros hospitalidad, y si resolvía separarme de vosotros, no tenía interés alguno en volveros a ver. Os colocaba de nuevo sobre la plataforma de este buque que os había servido de refugio. Me sumergía, y olvidaba que hubieseis existido nunca. ¿No era ese mi derecho?

—Quizá era el derecho de un salvaje —respondí—, mas no el de un hombre civilizado.

—Señor profesor —replicó con viveza el jefe—, yo no soy lo que llamáis un hombre civilizado. He roto con la sociedad entera, por motivos que yo solo tengo el derecho de apreciar. No obedezco a sus reglas, y os recomiendo que jamás volváis a invocarlas delante de mí.

Esto lo dijo categóricamente. Brilló en los ojos del desconocido un destello de cólera y de desdén y descubrí en la vida de aquel hombre un pasado formidable. No solamente se había emancipado de las leyes humanas, sino que se había hecho independiente, libre en la más rigurosa de las acepciones, y se había puesto fuera del alcance de las persecuciones. ¿Quién sería el osado que le siguiera al fondo de los mares, puesto que hasta en la superficie misma podía burlar los esfuerzos intentados contra él? ¿Cuál sería el buque que resistiría al choque de aquel monitor submarino? ¿Qué coraza, por resistente que fuese, aguantaría los golpes de su espolón? Nadie, entre los hombres, podía pedirle cuenta de sus obras. Los únicos jueces de que dependía eran Dios, si en él creía, y su conciencia si la abrigaba.

Estas consideraciones cruzaron rápidamente por mi imaginación, mientras que el extraño personaje callaba, absorto y como retraído en sí mismo. Le observé con un espanto mezclado de interés, indudablemente como Edipo contemplando a la esfinge.

Después de un silencio bastante prolongado, el jefe tomó de nuevo la palabra.

—Lo he pensado mucho; pero he creído que mi interés podía conciliarse con esa compasión natural a que tiene derecho todo ser humano. Os quedaréis a bordo, ya que la fatalidad os ha traído aquí. Seréis libres; y a cambio de esta libertad, por otra parte relativa, sólo os impondré una condición, bastándome vuestra palabra de someteros a ella.

—Hablad —le dije— y creo que esa condición será una de las que pueden ser aceptables para hombres honrados.

—Sí, señor, y es la siguiente: Posible es que ciertos acontecimientos imprevistos me obliguen a encerraros en vuestra cámara durante algunas horas o algunos días. Como no deseo apelar a la violencia, espero en esos casos más que en cualquiera otro una obediencia pasiva. Al obrar así cubro vuestra responsabilidad, y os dejo completamente desembarazados, porque yo soy el que debiera poneros en la imposibilidad de ver lo que no debe verse. ¿Aceptáis esta condición?

Pasaban, por consiguiente, a bordo cosas singulares que no debían ser vistas por los que estábamos fuera de las leyes sociales. Entre las sorpresas que me aguardaban no debía ser esta la menor.

—Aceptamos —respondí—. Pero me permitiréis una pregunta, una tan sólo.

—Hablad.

—Habéis dicho, si no lo he entendido mal, que seríamos libres a bordo.

—Completamente.

—Os pido que me digáis lo que entendéis por esa libertad.

—La libertad de ir, de venir, de ver, y hasta de observar lo que aquí ocurre, salvo en algunas y raras circunstancias; la libertad, en fin, de que gozamos nosotros mismos, mis compañeros y yo.

Era evidente que no nos entendíamos.

—Dispensad —repliqué— pero esta libertad no es más que la que goza todo preso de recorrer su prisión. No puede bastarnos.

—Preciso será, sin embargo, que os baste.

—¿Cómo? ¿Debemos renunciar a nuestra patria, a nuestros amigos, a nuestros parientes?

—Sí, señor. Pero eso de renunciar al insoportable yugo de la tierra, que los hombres creen ser la libertad, no es quizá tan penoso como lo pensáis.

—Por ejemplo —exclamó Ned Land—, jamás daré mi palabra de no procurar escaparme.

—No os exijo palabra alguna, señor Land —respondió con frialdad el jefe.

—Señor —respondí algo acalorado a pesar mío—; abusáis de vuestra posición para con nosotros. ¡Eso es una crueldad!

—No, señor. Eso es clemencia. Sois prisioneros míos después de un combate. Os conservo cuando pudiera con una sola palabra sumergiros de nuevo en el océano. Me habéis atacado. Habéis venido a sorprender un secreto que nadie en el mundo debe penetrar, el secreto de toda mi existencia. ¿Y pensáis que os voy a enviar a esa tierra que no debe volver a conocerme? ¡Jamás! Al reteneros no os guardo a vosotros sino a mí mismo.

Estas palabras indicaban de parte del jefe una resolución fija, contra la cual no prevalecería ningún argumento.

—Así es que —le repliqué—, ¿nos dais a escoger simplemente entre la vida o la muerte?

—Simplemente.

—Amigos míos —dije—, ante una cuestión así planteada, no hay nada que responder; pero ninguna palabra nos liga sobre este particular con el jefe de a bordo.

—Ninguna —respondió el desconocido.

Y después, con acento más blando, prosiguió:

—Ahora, permitidme que termine lo que iba a deciros. Os conozco, señor Aronnax: vos, quizá mejor que vuestros compañeros, no tendréis tanto motivo de queja por el azar que os liga a mi suerte. Hallaréis, entre los libros que sirven para mis estudios favoritos, la obra que habéis publicado sobre los grandes fondos submarinos. La he leído frecuentes veces. Habéis llegado en ella hasta donde os lo permitía la ciencia terrestre. Però no lo sabéis todo, no lo habéis visto todo. Permitidme deciros que no sentiréis el tiempo que pasaréis aquí. Vais a viajar por el país de las maravillas. El asombro y el pasmo serán probablemente el estado habitual de vuestro ánimo. Vuestro cautiverio se verá compensado por el espectáculo que incesantemente tendréis a la vista. Voy a dar una nueva vuelta al mundo submarino ¿quién sabe? tal vez la última para ver de nuevo todo cuanto he podido estudiar en el fondo de los mares, tantas veces recorrido; y seréis mi compañero de estudios. Desde hoy entráis en un elemento nuevo, y veréis lo que ningún hombre ha visto; porque los míos y yo no pertenecemos a la humanidad; y nuestro planeta os va a confiar sus últimos secretos.

No puedo negarlo; estas palabras del jefe me hicieron gran efecto. Me dejaba vencer por mi parte flaca: olvidando momentáneamente que la contemplación de cosas tan sublimes no podía compensar mi libertad perdida. Por otro lado, contaba yo con el porvenir para resolver esta grave cuestión, y me limité a responder:

—Si habéis roto con la humanidad, quiero creer que no habéis renegado de todo sentimiento humano. Somos unos náufragos caritativamente recogidos a vuestro bordo, y no lo olvidaremos. En cuanto a mí, no desconozco que, si el interés de la ciencia podía absorber hasta la necesidad de libertad, lo que vuestro encuentro me promete me ofrecería grandes compensaciones.

Yo creía que el jefe iba a darme la mano para confirmar nuestro convenio; pero no sucedió así, y lo sentí por él.

—Una pregunta más —dije en el instante en que aquel ser incomprensible se disponía, al parecer, a retirarse.

—Hablad, señor profesor.

—¿Cómo debo llamaros?

—Para vos, señor Aronnax, no soy otra cosa que el capitán Nemo; así como vuestros compañeros y vos no sois para mí más que los pasajeros del *Nautilus*.

El capitán Nemo llamó. Apareció un criado. Dióle sus órdenes en aquella lengua extraña que yo no podía reconocer. Y después, volviéndose hacia el canadiense y Consejo, les dijo:

—Os aguarda la comida en vuestra cámara; tened la bondad de seguir a ese hombre.

—No es cosa de despreciar —respondió el arponero.

Consejo y él salieron por fin de aquella celda donde habían estado encerrados durante más de treinta horas.

—Y ahora, señor Aronnax, vuestro almuerzo está preparado. Permitidme que os preceda.

—A vuestras órdenes, capitán.

Seguí al capitán Nemo; y al salir de la puerta entré en un corredor, eléctricamente alumbrado, semejante a los callejones de un buque. Después de recorrer unos diez metros, se abrió delante de mí otra puerta.

Penetré en un comedor alhajado y amueblado con gusto severo. Unos altos aparadores de roble, incrustados con adornos de ébano, se elevaban en ambas extremidades de la pieza, y sobre sus anaqueles, de forma ondulada, brillaban una loza, una china y una cristalería de inestimable precio. La vajilla resplandecía bajo los brillantes rayos despedidos por un techo luminoso, cuyo fulgor era mitigado por delicadas pinturas.

En el centro había una mesa ricamente servida. El capitán Nemo me señaló el puesto que debía ocupar.

—Sentémonos —me dijo— y comed como si debierais moriros de hambre.

El almuerzo se componía de cierto número de platos, cuyo contenido era exclusivamente suministrado por el mar, ignorando yo la naturaleza y procedencia de algunos manjares. Declaro que eran buenos, pero con un sabor particular, al que me acostumbré fácilmente. Estos diferentes alimentos me parecieron ricos en fósforo, y creí que debían tener un origen marino.

El capitán Nemo me miraba. No le pregunté nada, pero adivinó mi pensamiento, y respondió él mismo a las preguntas que yo tenía deseos de formularle.

—La mayor parte de estos manjares os son desconocidos —me dijo—. Sin embargo, podéis comerlos sin recelo, porque son sanos y nutritivos. Hace ya mucho tiempo que he renunciado a los alimentos terrestres, y mi salud no se resiente de ello. Mi tripulación es vigorosa y no se alimenta de diferente modo que yo.

—Capitán —le dije—, ¿todos esos alimentos son producto del mar?

—Sí, señor profesor; el mar provee a todas mis necesidades. Unas veces echo mis redes a la rastra y las saco cuando están a punto de romperse. Otras veces penetro en ese elemento que parece inaccesible al hombre, y persigo la caza que se encuentra en mis bosques submarinos. Mis rebaños, como los del viejo pastor de Neptuno, pacen sin miedo en las inmensas praderas del océano. Tengo allí un vasto dominio que yo exploto, y que se encarga de poblar la mano del Creador de todas las cosas.

Miré al capitán Nemo con cierto asombro, y le respondí:

—Comprendo perfectamente que vuestras redes den excelentes pescados a vuestra mesa, no comprendo tanto cómo podéis perseguir la caza acuática en vuestros bosques submarinos; pero lo que no comprendo absolutamente nada es que pueda figurar en vuestra comida una partícula de carne, por pequeña que sea.

—Por eso —respondió el capitán Nemo— jamás empleo la carne de los animales terrestres.

—Esto, sin embargo —repliqué señalando un plato donde quedaban todavía algunos restos de solomillo— parece carne.

—Esto, señor profesor, no es más que solomillo de tortuga de mar. Ahí tenéis también algunos hígados de delfín, que confundiríais con un guisado de cerdo. Mi cocinero es muy diestro y entendido en la conservación de estos productos variados del océano. Probad de todos estos manjares. He aquí una conserva de holoturias (1), que un malaqués declararía sin igual en el mundo; aquí hay una crema producida por leche de cetáceos, y azúcar que obtenemos de las grandes ovas del mar del Norte; y permitidme, por último,

(1) Especie de zoófitos poco radiados, de forma oblonga y de cubierta coriácea. Tienen boca rodeada de tentáculos ramosos muy complicados, que pueden contraerse completamente. Es animal hermafrodita y muy contráctil. Entre las holoturias de nuestros mares figuran la holoturia real, la escamosa, la temblona y la frondosa.

ofreceros ese dulce de anémona, que vale tanto como el de las frutas más sabrosas.

Y yo probé de todo, más bien por curiosidad que por gula, mientras que el capitán Nemo me encantaba con sus inverosímiles narraciones.

— Pero este mar, señor Aronnax — me dijo —, ese elemento prodigioso, inagotable, no sólo me nutre sino que me viste. Las telas que os cubren están tejidas con bisos de ciertas conchas (1), están teñidas con la púrpura de los antiguos, y matizadas con los colores morados que extraigo de los aplisis del Mediterráneo. Los perfumes que encontraréis en el tocador de vuestra cámara son producidos por destilación de plantas marinas. Vuestra cama está hecha con el zostero (2) más suave del océano. La pluma con que escribiréis es de ballena, y vuestra tinta es el líquido segregado por la jibia o el calamar. Todo procede del mar; así como un día todo le será devuelto.

— ¡Tenéis cariño al mar, capitán!

— ¡Sí, le amo! ¡El mar es todo! Cubre las siete décimas partes del globo terráqueo. Sus auras son puras y sanas. Es el inmenso desierto en que jamás el hombre está solo, porque siente estremecerse la vida a su alrededor. El mar no es más que el vehículo de una existencia sobrenatural y prodigiosa; no es más que movimiento y amor, es el infinito viviente, como ha dicho uno de vuestros poetas. Y en efecto, señor profesor, la Naturaleza se presenta aquí en sus tres reinos, mineral, vegetal y animal. Este último está perfectamente representado por cuatro grupos de zoófitos, tres clases de articulados, cinco clases de moluscos, tres clases de vertebrados, los mamíferos y las innumerables legiones de peces, orden infinito de animales que cuenta más de trece mil especies, de las cuales sólo una décima

(1) Especialmente de la ostra-peña, a cuyo hilo se da comúnmente el nombre de lana-peña.

(2) Es una especie de alga marina; planta que, en verde, puede servir de pasto a los animales, y en seco sirve para jergones. En algunas comarcas la emplean para cubrir edificios, y hasta para interponerla en los pisos, por tener, entre otras condiciones, la de ser casi incombustible, o al menos, de arder muy despacio y sin llama, la de preservar de calor y frío, la de transmitir muy mal el sonido, y la de alejar los insectos.

parte pertenecen al agua dulce. El mar es el vasto receptáculo de la Naturaleza. El globo ha empezado, por decirlo así, con el mar. ¡Ah, quién sabe si acabará por él! Aquí está la tranquilidad suprema. El mar no pertenece a los déspotas. En la superficie todavía pueden ejercer sus inicuos derechos, batirse, devorarse y desatar todos los horrores terrestres... Pero a treinta pies bajo su nivel, su poderío cesa, su influencia se extingue y su potencia desaparece. ¡Ah! ¡Vivid, señor Aronnax, vivid en el seno de los mares! ¡Aquí sólo está la independencia! ¡Aquí no reconozco amos! ¡Aquí soy libre!

El capitán Nemo calló súbitamente en medio de aquel entusiasmo que en él rebosaba. ¿Se había excedido en su reserva habitual? ¿Había hablado demasiado? Durante algunos momentos se estuvo paseando con gran agitación. Después, sus nervios se calmaron, su fisonomía recobró la frialdad acostumbrada, y dijo volviéndose hacia mí:

— Ahora, señor profesor, si queréis visitar el *Nautilus,* estoy a vuestras órdenes.

CAPÍTULO XI

EL *NAUTILUS*

El capitán Nemo se levantó y le seguí. Abrióse una doble puerta practicada en la parte posterior de la sala, y entré en una pieza de igual dimensión que la que acababa de abandonar.

Era una biblioteca. Unos armarios altos, de palosanto negro, incrustados de latón, sostenían en sus estanterías muchos libros encuadernados con uniformidad. Seguían todo el perímetro de la sala, y terminaban en su parte inferior por vastos divanes forrados de cuero castaño, que ofrecían los más confortables contornos. Unos ligeros atriles movedizos, que se alejaban o acercaban a voluntad, permitían colocar en ellos el libro que se estuviese leyendo. En el centro existía una anchurosa mesa, cubierta de folletos, entre los cuales aparecían periódicos ya antiguos. La luz eléctrica inundaba aquel armonioso conjunto, y se desprendía de cuatro globos deslustrados y encajados a medias en las volutas del techo. Observé con admiración aquella sala tan ingeniosamente alhajada, y mis ojos no podían creer lo que veían.

—Capitán Nemo —dije a mi huésped, que acababa de tenderse en un diván—, esta es una biblioteca que honraría a más de un palacio de los continentes, y estoy ciertamente maravillado cuando pienso que puede seguiros hasta lo más profundo de los mares.

—¿Dónde se hallará más soledad y mayor silencio, señor profesor? —respondió el capitán Nemo—. ¿Os ofrece tanto descanso vuestro gabinete del Museo?

—No, señor; y debo añadir que es bien pobre comparado con el vuestro. Ahí tenéis cinco o seis mil volúmenes.

—Doce mil, señor Aronnax. Son los únicos lazos que me ligan a la tierra. Pero el mundo acabó para mí el día en que mi *Nautilus* se sumergió por vez primera en las aguas. Aquel día compré mis últimos volúmenes, mis últimos folletos y mis últimos periódicos, y desde entonces quiero creer que la humanidad no ha vuelto a pensar ni a escribir. Estos libros, señor profesor, están, por otra parte, a vuestra disposición, y, podéis utilizarlos libremente.

Di las gracias al capitán Nemo y me acerqué a los estantes de la biblioteca. Abundaban los libros de ciencia, de moral y de literatura, escritos en todas las lenguas, pero no vi obras de economía política, proscritas de allí al parecer. Como detalle curioso debo decir que aquellos libros estaban clasificados indistintamente, cualquiera que fuese el idioma en que estuviesen escritos; probando esta mezcla que el capitán del *Nautilus* debía leer corrientemente los volúmenes que su mano tomaba al acaso.

Entre aquellos libros advertí las obras maestras de los escritores antiguos y modernos, es decir, todo lo que la humanidad ha producido de más bello en la historia, la poesía, la novela y la ciencia, desde Homero hasta Víctor Hugo, desde Jenofonte hasta Michelet, desde Rabelais hasta Jorge Sand. Pero la ciencia era la más principalmente atendida en aquella biblioteca. Los libros de mecánica, de balística, de hidrografía, de meteorología, de geografía, de geología, etc., ocupaban un lugar no menos importante que las publicaciones de historia natural, y comprendí que constituían el principal estudio del capitán. Allí estaban todas las obras de Humboldt, todas las de Arago, los trabajos de Foucault, de Enrique Sainte-Claire Deville, de Chasles, de Milne Edwars, de Quatrefages, de Tyndall, de Faraday, de Berthelot, del abate Secchi, de Petermann, del comandante Maury, de Agassis, etc.; las Memorias de la Academia de Ciencias, los boletines de las diferentes Sociedades de geografía, etc.; y, en buen sitio, los dos tomos que me habían quizá valido la acogida relativamente caritativa del capitán Nemo. Entre las obras de José Bertrand, su libro titulado *Los fundadores de la Astronomía,* me dio una fecha cierta; pues, como yo sabía que había aparecido en 1865, pude colegir que la instalación del *Nautilus* no se refería a una época anterior. Por consiguiente, hacía tres años lo más que el capitán Nemo había comenzado su existencia submarina. Abrigué, por otra parte, la esperanza de que otras obras más recientes me permitieran fijar exactamente la época; pero tenía tiempo para hacer esta investigación, y no quería retardar nuestro paseo entre las maravillas del *Nautilus.*

—Os doy gracias —dije al capitán— por haber puesto esta biblioteca a mi disposición. Hay aquí tesoros de ciencia, de que me aprovecharé.

—Esta sala no es sólo una biblioteca —dijo el capitán Nemo—, sino que es la pieza de fumar.

—¡Pues qué! ¿Se fuma a bordo? —exclamé.

—Sin duda.

—Entonces tengo que pensar que habéis conservado relaciones con La Habana.

—Ninguna —respondió el capitán—. Aceptad este cigarro, señor Aronnax; y aunque no proceda de La Habana, os gustará, si sois entendido.

Tomé el cigarro, cuya forma era semejante a la

del Londres; pero parecía fabricado con hojas de oro. Lo encendí en un braserillo sostenido sobre un elegante pie de bronce; y saboreé sus primeras aspiraciones con el deleite de un aficionado que lleva dos días sin fumar.

—Es excelente —dije—; pero no es tabaco.

—No —respondió el capitán—; ese tabaco no viene ni de La Habana, ni de Oriente. Es una especie de alga, rica en nicotina, que el mar me ofrece, no sin alguna parsimonia. ¿Echáis de menos los Londres, señor Aronnax?

—Capitán, desde hoy los desprecio.

—Fumad, pues, a placer, y sin discutir el origen de estos cigarros. No han pasado por las manos del fisco, pero no por eso son menos buenos.

—Al contrario.

En este momento el capitán Nemo abrió una puerta que daba de frente a la que me había servido de entrada a la biblioteca, y pasé a un salón inmenso y espléndidamente alumbrado.

Era un extenso cuadrilátero, de paredes ochavadas, con diez metros de longitud, seis de anchura y cinco de elevación. Un techo luminoso, decorado con ligeros arabescos, distribuía una luz clara y suave sobre todas las maravillas acumuladas en aquel museo. Porque era aquello en realidad un museo, en donde una mano inteligente y pródiga había reunido todos los tesoros de la Naturaleza y del arte, con ese artístico desorden que distingue a un estudio de pintor.

Unos treinta cuadros de maestros, en marcos uniformes, separados por resplandecientes panoplias, adornaban las paredes, cubiertas con tapices del dibujo más severo. Allí vi lienzos de sublime valor, que yo había admirado ya en las colecciones particulares de Europa y en las exposiciones de pintura. Las diferentes escuelas de los maestros antiguos estaban representadas por una madona de Rafael, una virgen de Leonardo de Vinci, una ninfa de Correggio, una mujer de Ticiano, una adoración de Veronés, una Asunción de Murillo, un retrato de Holbein, un fraile de Velázquez, un mártir de Ribera, dos paisajes flamencos de Teniers, tres cuadritos del género de Gerardo Dow, Metsu y Pablo

Pytter, dos lienzos de Géricault y de Prud'hom, algunas marinas de Backuysen y de Vernet. Entre las obras de pintura moderna aparecían cuadros firmados por Delacroix, Ingres, Decamps, Troyon, Meissonier, etc. Algunas almirables reducciones de estatuas de mármol o de bronce, según los modelos más bellos de lo antiguo, figuraban sobre pedestales en los ángulos de aquel magnífico museo. Ya comenzaba a embargar mi ánimo el estupor que me había vaticinado el jefe del *Nautilus*.

—Señor profesor —dijo entonces aquel hombre extraordinario—, me excusaréis la franqueza con que os recibo y el desorden que reina en este salón.

—Señor capitán Nemo —le respondí—, sin tratar de averiguar quién sois, ¿me permitís reconocer en vos un artista?

—Un aficionado nada más, señor Aronnax. Tenía antes gusto en coleccionar esas bellas obras creadas por la mano del hombre. Era un investigador ávido, un rebuscador infatigable, y pude reunir algunos objetos de elevado precio. Son los últimos recuerdos de esa tierra muerta para mí. Vuestros artistas modernos los considero ya como viejos; tienen dos o tres mil años de existencia, y los confundo en mi espíritu. Los maestros no tienen edad.

—¿Y esos músicos? —le dije, enseñándole partituras de Weber, de Rossini, de Mozart, de Beethoven, de Haydn, de Meyerbeer, de Rerold, de Wagner, de Auber, de Gounod y otros muchos, esparcidas sobre un pianoórgano de gran modelo, que ocupaba uno de los lienzos del salón.

—Esos músicos —me respondió el capitán Nemo— son contemporáneos de Orfeo, porque las diferencias cronológicas se borran en la memoria de los muertos, y yo estoy muerto, señor profesor, tan muerto como aquellos de vuestros amigos que descansan a seis pies debajo de la tierra.

El capitán Nemo calló y pareció sumido en una profunda meditación. Lo contemplé vivamente conmovido, analizando los rasgos de su fisonomía. Apoyado de codos sobre el ángulo de una preciosa mesa de mosaico, no me veía y olvidaba mi presencia.

Respeté aquel recogimiento, y continué inspeccionando las curiosidades que enriquecían el salón.

Junto a las obras de arte, las curiosidades naturales ocupaban un lugar importantísimo. Consistían principalmente en plantas, conchas y otros productos del océano que debían ser hallazgos personales del capitán Nemo. En medio del salón un surtidor de agua, eléctricamente alumbrado, volvía a caer sobre un pilón formado por una sola tridacnia. Esta concha, perteneciente al mayor de los moluscos acéfalos, medía en sus bordes, delicadamente festoneados, una circunferencia de seis metros, sobrepujando en tamaño a aquellas famosas tridacnias regaladas a Francisco I por la República de Venecia, y que figuran como pilas de agua bendita en la iglesia de San Sulpicio de París.

Alrededor del pilón, y dentro de elegantes escaparates fijados con armaduras de latón, estaban clasificados y rotulados los productos más preciosos del mar que jamás han podido exponerse a las miradas de un naturalista. Fácil es concebir cuál sería mi regocijo.

Ofrecían los zoófitos (1) curiosísimos ejemplares de los dos grupos de pólipos y equinodermos. En el primer grupo había tubípedos, gorgonias dispuestas en abanico, esponjas suaves de Siria, isis de las Molucas, pennátulas, una virgular admirable de los mares de Noruega, ombelularias variadas, alcionarias, una serie completa de aquellas madréporas que mi maestro Milne Edwards ha clasificado hábilmente en secciones, y entre las cuales observé adorables flabelinas, oculinas de

(1) Esta voz tiene la significación de animales plantas. Según la clasificación de Cuvier, es la cuarta ramificación de los animales radiados. Los zoófitos se asemejan a los vegetales, y hasta ofrecen muchos de ellos puntos de contacto con el reino mineral. Tienen los unos tronco, ramas y una especie de florescencia, que es donde aparece la verdadera vida animal, representada por una multitud de pequeños seres vivientes que tienen la facultad de moverse espontáneamente. Estos zoófitos suministran al hombre dos productos muy apreciados y de bien distinta contextura, a saber: las esponjas y el coral. Hay numerosas especies, muy diversas, por sus formas y por su crecimiento, y se clasifican con el nombre de pólipos. Otros zoófitos pertenecientes al grupo de equinodernos no aparecen arraigados ni ofrecen la forma arborescente, sino que gozan de movimientos voluntarios, y tienen vida individual; pero afectan formas muchas veces regulares, simétricas y radiadas, esto es, con púas o expansiones coriáceas.

la isla de Borbón, el *carro de Neptuno* de las Antillas, soberbias variedades de corales; y por último, todas las especies de los curiosos políperos cuyo conjunto forma islas enteras, que serán un día continentes. Entre los equinodermos, notables por su cubierta espinosa, había asterias, estrellas de mar, pantacrinas, comátulas, ursinos, holoturias, etc., lo cual representaba la colección completa de los individuos del grupo.

Un conquiliólogo algo nervioso se hubiera pasmado ciertamente delante de otros escaparates más numerosos donde existían muestras de la ramificación de los moluscos. Había una colección de inestimable valor, para cuya descripción entera me faltaría tiempo. Entre estos productos citaré, para memoria, el elegante martillo real del océano de las Indias, cuyas manchas regulares blancas resaltan vivamente sobre un fondo encarnado y pardo; un espóndilo imperial, de colores vivos, erizado de espinas, ejemplar raro en los museos europeos y cuyo valor calculé en veinte mil francos; un martillo común de los mares de Nueva Holanda, que es difícil de obtener; unas pechinas exóticas del Senegal, frágiles conchas blancas de dos valvas, que un soplo podía disipar como burbujas de jabón; diversas variedades de regaderas de Java, especie de tubos calcáreos orlados de repliegues foliáceos y muy disputados por los aficionados; toda una serie de troncos, los unos amarillos verdosos, pescados en los mares de América, los otros de un pardo rojizo, amigos de las aguas de Nueva Holanda, procedentes algunos del golfo de Méjico, y notables por su concha imbricada, no faltando algunos estelarios hallados en los mares australes, y últimamente, el más raro de todos, el magnífico espolón de Nueva Zelandia; después admirables telinas sulfuradas, preciosas especies de citéreas y de venus, el cuadrante trencillado de las costas de Tanquebar, la galocha marmórea de nácar resplandeciente, los papagayos verdes de los mares de la China, el cono casi desconocido del género *Cænodulli*; todas las variedades de porcelanas que sirven de moneda en la India y el África; la *gloria del mar*, que es la más preciosa concha de las Indias orientales; y, por último, litorinas, delfinulas, turritelas, jantinas, óvulas, volutas, olivas, mitras, cascos, púrpuras, bocinas, arpas, rocas, tritones, coritas, husos, estrombos, plecóceros, patelas, hialas, cleódoras, conchas delicadas y frágiles que la ciencia ha bautizado con los nombres más halagüeños.

Aparte y en compartimientos especiales, se desenvolvían sartas de perlas de la mayor belleza, que la luz eléctrica salpicaba con chispas de fuego; perlas rosadas sacadas de las ostras-peñas del mar Rojo; perlas verdes del hialótide iris; perlas amarillas, azules, negras, curiosos productos de diversos moluscos de todos los océanos, y de ciertas almejas de los ríos del Norte; y últimamente, varios ejemplares de inestimable precio destilados por las más raras pintadinas. Algunas de estas perlas excedían en magnitud a un huevo de paloma, y valían más que la vendida por el viajero Tavernier al sha de Persia por tres millones de francos, y aun superaban a la del imán de Mascate, que yo tenía por única en el mundo.

Así, pues, reducir a guarismos el valor de aquella colección era, por decirlo así, imposible. El capitán Nemo había debido gastar muchos millones para adquirir aquellas variadas muestras, y discurría yo de dónde sacaría lo necesario para satisfacer sus caprichos, cuando fui interrumpido por estas palabras:

—Estáis examinando mis conchas, señor profesor. En efecto, pueden interesar a una naturalista; pero tienen para mí un encanto mayor, y es que las he recogido todas con mi mano, no habiendo un solo mar del Globo que se haya librado de mis pesquisas.

—Comprendo, capitán, comprendo ese placer de pasearos en medio de tanta riqueza. Sois de aquellos que han formado por sí mismos sus tesoros. Ningún museo de Europa posee semejante colección de los productos del océano. Pero si mi admiración aquí se agota, ¿qué me restará para el buque que todo esto contiene? No quiero penetrar secretos que os pertenecen. Confieso, con todo, que la fuerza motriz encerrada en este *Nautilus,* los aparatos que permiten maniobrarlo, el agente poderoso que le anima, todo excita en el mayor grado mi curiosidad. Veo suspendidos en el muro del salón unos instrumentos cuyo destino me es desconocido. ¿Puedo saber...?

—Señor Aronnax —me respondió el capitán Nemo—; os he dicho que a bordo estaríais libre, y, por consiguiente, no os está vedada ninguna parte del *Nautilus*. Podéis visitarlo detenidamente, y tendré un verdadero placer en serviros de guía.

—Yo no sé cómo agradecerlo, pero no abusaré de vuestra amabilidad. Os preguntaré tan sólo para qué sirven esos instrumentos de física...

—Señor profesor, esos mismos instrumentos se encuentran en mi cámara, y allí tendré el honor de explicaros su uso. Pero antes venid a visitar el camarote que os ha sido destinado.

Seguí al capitán Nemo, quien por una de las puertas abiertas en cada esquina ochavada del salón me hizo entrar en los corredores del buque. Me condujo a la parte anterior, y allí encontré, no un camarote, sino una pieza elegante, con cama, tocador y otros diferentes muebles.

No pude menos de darle expresivas gracias.

—Vuestro cuarto —me dijo abriendo una puerta—, está contiguo al mío, y éste comunica con el salón de donde acabamos de salir.

Entré en la cámara del capitán, la cual tenía un aspecto severo, casi cenobítico. Un catre de hierro, una mesa de despacho y algunos muebles de tocador, todo alumbrado por una media luz.

El capitán Nemo me señaló un asiento.

—Tened la bondad de sentaros —dijo.

Me senté, y tomó la palabra en estos términos:

Capítulo XII

TODO POR LA ELECTRICIDAD

Señor profesor —dijo el capitán Nemo, enseñándome los instrumentos suspendidos en las paredes—, ésos son los aparatos necesarios para la navegación del *Nautilus*. Aquí, como en el salón, están siempre a la vista, y me indican la situación que tengo y dirección exacta que sigo en medio del océano. Los unos ya los conocéis, como el termómetro que registra la temperatura interior del *Nautilus*, el barómetro que pesa el aire y predice los cambios de tiempo; el higrómetro, que marca el grado de sequedad de la atmósfera; el stormglass, cuya mezcla, cuando se descompone, anuncia la proximidad de las tempestades; la brújula, que dirige mi camino; el sextante, que por la altura del sol me indica la latitud en que me encuentro; los cronómetros, que me permiten calcular la latitud, y, en fin, los anteojos de día y los de noche, que me sirven para examinar a fondo todos los puntos del horizonte, cuando el *Nautilus* sube a la superficie de las aguas.

—Son los instrumentos habituales del navegante —respondí—, y conozco su uso. Pero ahí tenéis otros que sin duda responden a las particulares exigencias del *Nautilus*. Este cuadrante que advierto y que va recorriendo una aguja movible, ¿no es un manómetro?

—Efectivamente, es un manómetro. Pero comunica con el agua, indicando su presión exterior y dándonos a conocer a qué profundidad se mantiene mi aparato.

—¿Y estas sondas de nueva especie?

—Son termométricas, y me revelan la temperatura que reina en las diferentes capas de agua.

—¿Y esos otros instrumentos cuyo empleo no comprendo?

—Sobre esto, señor profesor, debo daros algunas explicaciones —dijo el capitán Nemo—. Dignaos escucharme.

Guardó silencio durante algunos instantes, diciendo luego:

—Existe un agente poderoso, obediente, rápido, fácil, que se adapta a todos los usos, y que reina como dueño en mi aparato. Todo se ejecuta por él. Me alumbra, me calienta, es el alma de mis aparatos mecánicos. Este agente es la electricidad.

—¡La electricidad! —exclamé bastante sorprendido.

—Sí, señor.

—Sin embargo, capitán, poseéis una excesiva rapidez de movimientos que concuerdan mal con el poder de la electricidad. Hasta ahora su potencia dinámica es de muy poca consideración, y nunca ha podido producir más que pequeñas fuerzas.

—Señor profesor —respondió el capitán Nemo—, mi electricidad no es la de todo el mundo, y esto es cuanto me permitiréis que os diga.

—No insistiré, caballero, limitándome a extrañarme mucho de semejante resultado. Permitidme una sola pregunta, sin embargo, a la que no contestaréis si es indiscreta. Los elementos que empleáis para producir este maravilloso agente deben gastarse pronto. Por ejemplo, ¿cómo remplazáis el cinc no conservando ya ninguna comunicación con la tierra?

—Vuestra pregunta tendrá su respuesta —contestó el capitán Nemo—. Os diré primeramente que en el fondo de los mares existen minas de cinc, de hierro, de plata, de oro, etcétera, cuya explotación podría ciertamente realizarse. Pero no he tomado nada de estos materiales terrestres, he querido pedir al mismo mar los medios de producir mi electricidad.

—¿Al mar?

—Sí, señor profesor, y no me faltaban los medios. Habría podido efectivamente, estableciendo un circuito entre hilos sumergidos a diversas profundidades, obtener la electricidad por la distinta temperatura que experimentasen; pero he preferido emplear un sistema más práctico.

—¿Cuál?

—Ya sabéis de qué se compone el agua del mar. En mil gramos se hallan noventa y seis y media centésimas de agua y dos centésimas dos tercios aproximadamente de cloruro de sodio; luego, en cantidades pequeñas, cloruros de magnesia, de potasio, de bromuro de magnesio, de sulfato de magnesio, de carbonato de cal. Ya veis, pues, que el cloruro de sodio se encuentra allí en notable proporción, y le extraigo del agua del mar componiendo de él mis elementos.

—¿El sodio?

—Sí, señor. Mezclado con el mercurio, forma una amalgama que hace las veces del cinc en los elementos Bunsen. El mercurio no se gasta nunca. Sólo el sodio se consume, y el mar me lo suministra. Os diré, además, que las pilas de sodio deben ser consideradas como las más enérgicas, y que su fuerza electromotriz es doble de la de las pilas de cinc.

—Comprendo perfectamente, capitán, la excelencia del sodio en las condiciones en que os encontráis. El mar lo contiene, es verdad, pero es preciso también fabricarle, extraerle, en una palabra. Y ¿cómo lo hacéis? Vuestras pilas podrían evidentemente servir para esta extracción; pero si no estoy engañado, sobrepujaría el gasto del sodio que consumirían los aparatos eléctricos a la cantidad extraída. Sucedería, pues, que consumiríais, para producirlo, más de lo que produciríais.

—Por eso, señor profesor, no me valgo de la pila para extraerlo, y empleo sencillamente el calor del carbón de piedra.

—¿De tierra? —dijo yo insistiendo.

—Digamos de carbón de mar, si lo queréis así —respondió el capitán Nemo.

—¿Y podéis explotar las minas submarinas de hulla?

—Señor Aronnax, me veréis en la tarea. Sólo os pido un poco de paciencia, puesto que tenéis tiempo para ser paciente. Recordad solamente esto: todo lo debo al océano; produce la electricidad, y la electricidad da al *Nautilus* el calor, la luz, el movimiento, la vida, en una palabra.

—Pero no el aire que respiráis.

—¡Oh! Podría fabricar el aire necesario a mi consumo, pero es inútil, puesto que subo a la superficie del mar cuando me parece. A pesar de todo, si la electricidad no me suministra el aire respirable, da movimiento por lo menos a las poderosas bombas que lo almacenan en los receptáculos especiales, lo cual me permite prolongar cuando es necesario, y por tanto tiempo como quiero, mi permanencia en las capas profundas.

—Capitán —respondí—, os admiro. Es evidente que habéis hallado lo que los hombres encontrarán algún día: la verdadera potencia dinámica de la electricidad.

—No sé si la encontrarán —respondió fríamente el capitán Nemo—. De cualquier manera que sea, ya conocéis la primera aplicación que he hecho de ese precioso agente. Él es el que nos alumbra con una igualdad y una continuidad que no tiene la luz del sol. Mirad ahora este reloj; es eléctrico, y señala la hora con una regularidad que envidiarían los mejores cronómetros. Le he dividido en veinticuatro horas, como los relojes italianos, porque no existiendo para mí ni noche ni día, ni sol ni luna, sino sólo esa luz artificial que arrastro hasta el fondo de los mares, me explica mejor las cosas. Mirad: en este momento son las diez de la mañana.

— Perfectamente.

— Otra aplicación de la electricidad. Ese cuadrante, colocado delante de nosotros, sirve para indicar la velocidad del *Nautilus.* Un hilo eléctrico le pone en comunicación con la hélice, y su aguja me indica la marcha real del aparato; en este momento caminamos con una velocidad moderada de quince millas por hora.

— Es maravilloso — respondí —; y ya veo, capitán, que habéis hecho muy bien empleando ese agente, que está destinado a remplazar al viento, al agua y al vapor

— No hemos acabado aún, señor Aronnax — dijo el capitán Nemo, levantándose —, y si os dignáis seguirme visitaremos el *Nautilus.*

Conocía ya, en verdad, toda la parte anterior de aquel buque submarino, cuya división exacta, yendo del centro al espolón, era ésta: el comedor, de unos cinco metros, separado de la biblioteca por un tabique de madera, impermeable, es decir, que no podía ser penetrado por el agua; la biblioteca, de cinco metros; el gran salón, de diez metros, separado de la cámara del capitán por otro tabique de madera, también impermeable. Esta cámara tenía cinco metros, la mía dos y medio, y por fin, un receptáculo de aire de siete metros y medio, lo que en total hacía treinta y cinco metros de largo. Los tabiques de madera impermeables tenían sus puertas que se cerraban herméticamente por medio de obturadores de goma elástica, que aseguraba todo a bordo del *Nautilus,* en el caso de que se hubiera declarado una vía de agua.

Seguí, pues, al capitán Nemo, y llegué al centro del navío. Hallábase allí una especie de pozo que se abría en dos compuertas de madera impermeable. Una escala de hierro incrustada en la pared conducía a su extremidad superior. Pregunté al capitán para qué servía aquella escala.

—Conduce a la canoa —me respondió.

—¡Cómo! ¡Tenéis una canoa! —repliqué, sin volver de mi asombro.

—Sin duda alguna; una excelente embarcación, ligera e insumergible, que sirve para pasear y para pescar.

—Pues entonces, cuando queráis embarcaros os veréis obligados a subir a la superficie del mar.

—De ninguna manera. La canoa va adherida a la parte superior del casco del *Nautilus,* y ocupa una cavidad dispuesta ex profeso para recibirla. Está dispuesta de manera que sea impermeable, y armada por sólidas cadenas. Esa escala conduce a un agujero abierto en el casco del *Nautilus* y que corresponde a otro exactamente igual, por donde puede pasar un hombre, practicado al costado de la canoa. Por esta doble abertura me introduzco en la embarcación; se cierra una, la del *Nautilus;* cierro yo la otra, la de la canoa, por medio de tornillos de presión: doy suelta a las cadenas, y la embarcación sube casi instantáneamente a la superficie del mar. Después abro la escotilla del puente, cuidadosamente cerrada hasta entonces, pongo el mástil, rizo mi vela o tomo los remos, y me paseo.

—¿Pero cómo volvéis a bordo?

—No vuelvo yo; es el *Nautilus,* señor Aronnax, el que vuelve.

—¿Obedeciendo vuestras órdenes?

—Sí, mis órdenes; porque, unido con un hilo eléctrico que me pone en comunicación con él, expido un telegrama, y esto basta.

—Efectivamente —dije, sorprendido por tantas maravillas—; eso es muy sencillo.

Después de haber pasado el hueco de la escalera que conducía a la plataforma, vi una jaula como de dos metros, en la cual, Consejo y Ned Land, muy alegres con su comida, se entretenían en devorarla.

Luego se abrió una puerta que daba a la cocina, situada en la parte inferior del buque, y que tendría unos tres metros.

Allí la electricidad, más enérgica y más obediente

que el gas mismo, hacía los gastos de la cocción. Algunos hilos que llegaban bajo las hornillas comunicaban a esponjas de platino un calor que se distribuía y se mantenía con regularidad. Calentaba también aparatos destilatorios, que por evaporación suministraban excelente agua potable, y próxima a esta cocina se hallaba una sala de baño, dispuesta con todo lo que podía hacerla confortable, y con llaves que a voluntad proporcionaban agua fría o agua caliente.

Detrás de la cocina estaba el lugar destinado a la tripulación, y que ocupaba cinco metros; pero la puerta estaba cerrada y no pude ver los muebles, que me hubieran quizá dado la idea del número de hombres que necesitaba el *Nautilus* para las maniobras

En el fondo había un cuarto tabique de madera, impermeable como todos los demás, que separaba este puesto del cuarto de máquinas. Se abrió una puerta y me encontré repentinamente en aquel departamento, donde el capitán Nemo, ingeniero de primer orden seguramente, había dispuesto sus aparatos de locomoción.

El cuarto de las máquinas, sencillamente alumbrado, no medía menos de veinte metros de longitud. Estaba dividido naturalmente en dos partes, conteniendo la primera los elementos que producían la electricidad, y la segunda el mecanismo que transmitía el movimiento a la hélice.

Quedé desde luego muy sorprendido al notar el olor *sui generis* que llenaba aquella habitación. Percatóse el capitán Nemo de la impresión que en mí había producido, y me dijo:

—Son ésos algunos desprendimientos de gas producidos por el empleo del sodio; pero esto no es más que un inconveniente pasajero, porque todas las mañanas purificamos el navío, ventilándole perfectamente.

Yo examinaba entretanto con gran interés, como puede presumirse, la maquinaria del *Nautilus*.

—Ya lo veis —me dijo el capitán Nemo—; empleo elementos Bunsen y no elementos Ruhmkorff, que hubieran sido impotentes. Los elementos Bunsen son pocos, pero fuertes y grandes, lo que vale mucho más, según los experimentos hechos. La electricidad producida se va atrás, donde actúa, por medio de electroimanes de grandes dimensiones, sobre un sistema de palancas y engranajes que transmiten el movimiento al árbol de la hélice. Éste, cuyo diámetro es de seis metros, y el paso de siete metros y medio, puede dar hasta ciento veinte revoluciones por segundo.

—Y entonces, ¿qué velocidad obtendréis?

—Cincuenta millas por hora.

Había en esto un misterio, pero no quise insistir para conocerle. ¿Cómo podía la electricidad adquirir tal potencia? ¿Dónde tomaba su origen esa fuerza casi ilimitada? ¿Era acaso en su tensión excesiva, obtenida por bobinas de una nueva especie? ¿Era acaso en su transmisión, que un sistema de palancas desconocidas podía alimentar hasta lo infinito? (1). Esto es lo que yo no me podía explicar.

—Capitán Nemo —dije—, voy a hacer constar los resultados, y no procuro explicarlos. He visto maniobrar el *Nautilus* delante del *Abraham Lincoln,* y sé a qué atenerme respecto a su velocidad; pero no basta ir de prisa, se necesita ver a adónde se va; se necesita tener medios de dirigirse a la derecha, a la izquierda, arriba y abajo. ¿Cómo llegáis a las grandes profundidades, donde tenéis que encontrar una resistencia que se calcula en cientos de atmósferas? ¿Cómo volvéis a subir a la superficie del océano? Finalmente, ¿cómo os mantenéis en el sitio que os conviene? ¿Seré indiscreto preguntándoos estas cosas?

—De ninguna manera, señor profesor —me respondió el capitán, después de titubear algunos instantes—, puesto que no debéis abandonar nunca este buque submarino. Venid al salón, es nuestro gabinete de trabajo, y allí sabréis todo lo que debéis saber respecto al *Nautilus.*

(1) Y precisamente se habla de un descubrimiento de este género, en el cual, por medio de un nuevo juego de palancas, se producen considerables fuerzas. ¿Se ha encontrado por ventura el inventor de este sistema con el capitán Nemo? *(J. V.)*

CAPÍTULO XIII

ALGUNOS GUARISMOS

Un instante después nos hallábamos sentados en un diván del salón, fumando un cigarro. El capitán presentó a mi vista un dibujo donde se podía observar el plano, corte y elevación del *Nautilus*. Después comenzó su disertación en estos términos:

—He aquí, señor Aronnax, las dimensiones del buque en que vamos navegando. Es un cilindro muy prolongado, de extremos cónicos. Se parece sensiblemente a un cigarro en su forma, que ha sido ya adoptada en Londres en algunas construcciones del mismo género. La longitud de este cilindro, de extremo a extremo, es exactamente de sesenta metros, y su diámetro, en su mayor anchura, es de ocho metros. No está, pues, construido como vuestros vapores de marcha rápida, pero sus líneas son suficientemente largas y su calado bastante prolongado para que el agua desplazada se escape perfectamente y no oponga obstáculo alguno a su marcha.

"Estas dos dimensiones permiten obtener por un solo cálculo el conocimiento de la superficie y del volumen del *Nautilus*. Su superficie comprende mil once metros cuadrados y cuarenta y cinco centésimas; su volumen, mil quinientos metros cúbicos y dos décimas; lo que quiere decir que, enteramente sumergido, desplaza o pesa mil quinientos metros cúbicos o toneladas.

"Cuando hice los planos de este navío destinado a la navegación submarina, quise que, en equilibrio dentro del agua, sumergiese nueve décimas partes y que dejase visible un décimo solamente. Por consecuencia, en estas condiciones no debía desplazar más que las nueve décimas partes de su volumen, o sea mil trescientos cincuenta y seis metros cúbicos y cuarenta y ocho centésimas; es decir, que no debía pesar más que este número de toneladas. He tenido, pues, que ceñirme a que no pasara de este peso, construyéndole según las dimensiones susodichas.

"El *Nautilus* se compone de dos departamentos cerrados, uno interior y otro exterior, reunidos entre sí por hierros en T que dan a este aparato una extrema rigidez. Efectivamente, en virtud de esta disposición celular, resiste como una masa maciza. Sus bordes no pueden ceder, pues se adhieren por sí mismos, no por las tablas que sujetas con clavazón le rodean; y la homogeneidad de su construcción, debida a la perfecta colocación de los materiales, le permite desafiar los mares más violentos y encrespados.

"Estos dos departamentos están construidos de acero en placas, cuya densidad, con relación al agua, es de siete, ocho décimas. El primero no tiene menos de cinco centímetros de espesor, y pesa trescientas noventa y cuatro toneladas noventa y seis centésimas. El segundo, la quilla, alta de cincuenta centímetros y ancha de veinticinco, que pesa por sí sola sesenta y dos toneladas; la máquina, el lastre, los diversos accesorios y mueblaje, los tabiques de madera y los apoyos de las vergas interiores pesan novecientas sesenta y una toneladas sesenta y dos centésimas, que, agregadas a las otras, forman el total exigido de mil trescientas cincuenta y seis toneladas cuarenta y ocho centésimas. ¿Lo habéis entendido?

—Sí, quedo enterado —respondí.

—Así, pues —repuso el capitán—, cuando el *Nautilus* se halla a flote en condiciones tales, tiene en seco una décima parte de su superficie; y si yo he hallado medio de disponer receptáculos de una capacidad igual a esa décima parte, o sea de una cavidad de ciento cincuenta toneladas y cincuenta y dos centésimas, llenándolas de agua, el buque desplazará mil quinientas siete toneladas, o las pesará, y quedará completamente sumergido. He aquí lo que sucede, señor profesor. Esos receptáculos existen en la parte inferior del *Nautilus,* y por medio de llaves se cierran, sumergiéndose el barco, que queda entre dos aguas.

—Está bien, capitán, pero aquí llegamos a la verdadera dificultad. Que podáis quedar bajo la superficie del océano, lo comprendo; pero más abajo, descendiendo a algunos metros de esa superficie, ¿no va vuestro aparato submarino a encontrar una presión y a sufrir por esto mismo un empuje de abajo a arriba, que debe valuarse en una atmósfera por treinta pies de agua, o sea aproximadamente un kilogramo por cada centímetro cuadrado?

— Exactamente, caballero.

— Luego, a menos que no llenéis el *Nautilus* por completo, convirtiéndole en un sólido, no veo cómo vais a conseguir arrastrarle al seno de las masas líquidas.

— Señor profesor — respondió el capitán Nemo —, conviene no confundir la estática con la dinámica, pues pudiera uno incurrir en errores muy graves. Se necesita gastar muy poco trabajo para llegar a las bajas regiones del océano, porque los cuerpos tienen una tendencia a dejar de ser *flotantes*. Seguid mi razonamiento con cuidado y atención.

— Ya os escucho, capitán.

— Cuando he querido determinar el aumento de peso que es preciso dar al *Nautilus* para mantenerle en inmersión, sólo he tenido que ocuparme de la reducción del volumen que el agua de mar experimenta a medida que sus capas llegan más y más profundas.

— Eso es evidente — repuse.

— Luego, si el agua no puede decirse que sea absolutamente incomprensible, la verdad es que es muy poco comprensible; y efectivamente, según los cálculos más recientes, esa deducción es sólo de cuatrocientas treinta y seis diezmillonésimas por atmósfera o por cada treinta pies de profundidad. Se trata de ir a mil metros; tomo en cuenta entonces la reducción del volumen bajo una presión equivalente a la de una columna de mil metros, es decir, bajo una presión de cien atmósferas. Esta deducción será entonces de cuatrocientas treinta y seis cienmilésimas. Tendría, pues, que aumentar el peso, de modo que pesara mil quinientas trece toneladas setenta y siete centésimas, en vez de mil quinientas siete toneladas y dos décimas. El aumento será, pues, seis toneladas cincuenta y siete centésimas.

— ¿Sólo eso?

— Eso sólo, señor Aronnax; y el cálculo es muy

fácil de hacer. Tengo también receptáculos suplementarios, capaces de embarcar cien toneladas; puedo bajar a profundidades considerables. Cuando quiero volver a la superficie y ponerme a flor de agua, me basta vaciar estos receptáculos, y si lo hago por completo, quedará el *Nautilus* con la décima parte de su capacidad local en descubierto.

A estos razonamientos, apoyados por los números, nada tenía que objetar; pero le respondí, buscando soluciones satisfactorias.

—Admito vuestros cálculos, capitán, y haría muy mal en negarlos, puesto que la experiencia y la práctica les dan la razón diariamente, pero presiento ahora una dificultad formal.

—¿Qué dificultad, caballero?

—Cuando os halléis a mil metros de profundidad, las paredes del *Nautilus* sufren una presión de cien atmósferas; y si en ese momento queréis vaciar los receptáculos suplementarios, para aligerar vuestro buque y volver a la superficie, será preciso que las bombas venzan esa presión de cien atmósferas, equivalente a cien kilogramos por centímetro cuadrado. De aquí, pues, una potencia...

—Que la electricidad sólo puede proporcionarme —se apresuró a decir el capitán Nemo—. Os repito, amigo mío, que el poder dinámico de mis máquinas es casi infinito. Las bombas del *Nautilus* tienen una fuerza prodigiosa, y ya habéis debido observarlo cuando sus columnas de agua se han precipitado como un torrente sobre el *Abraham Lincoln*. Por otra parte, sólo me sirvo de dos receptáculos suplementarios para descender a profundidades medias de mil quinientos a dos mil metros; y eso con el objeto de no malgastar mis aparatos. También cuando tengo capricho de visitar las profundidades del océano a dos o tres leguas de la superficie, empleo maniobras más largas, pero menos infalibles.

—¿Y qué maniobras son, capitán? —pregunté.

—Esto me lleva naturalmente a explicaros las maniobras del *Nautilus*.

—Grande es mi impaciencia por saberlo.

—Para dirigir este buque a estribor, a babor; para

hacer evoluciones, en una palabra, siguiendo un plano horizontal, me sirvo de un timón ordinario de ancha extremidad, fijo en la parte de atrás, movido por una rueda y unas palancas. Pero puedo también mover el *Nautilus* de abajo a arriba y de arriba a abajo en un plano vertical, por medio de dos planos inclinados, unidos a sus costados sobre su centro de flotación; planos móviles que pueden tomar todas las posiciones y que se manejan desde el interior por medio de poderosas palancas. Estos planos quedan paralelos al buque, éste se mueve horizontalmente, y si se inclinan, el *Nautilus*, siguiendo la disposición de esta inclinación, y empujado por su hélice, o se sumerge siguiendo una diagonal tan prolongada como me conviene, o se remonta siguiendo esa misma diagonal. Si quiero volver más rápidamente a la superficie, sujeto la hélice, y la presión de las aguas hace subir verticalmente al *Nautilus,* como un globo que, henchido de hidrógeno, se eleva rápidamente en la atmósfera.

—¡Bravo, capitán! —exclamé—. Pero ¿cómo puede seguir el timonel el camino que se le marca en medio de las aguas?

—Se halla colocado en una jaula de cristal que sobresale en la parte superior del departamento del *Nautilus,* y que está guarnecida de cristales lenticulares.

—¿Cristales capaces de resistir tales presiones?

—¡Ya lo creo! El cristal, tan frágil cuando recibe golpes, ofrece con todo una resistencia considerable; y en los experimentos de pesca con luz eléctrica, hechos en 1864 en los mares del Norte, se han observado placas de esta materia que, teniendo el espesor de siete milímetros solamente, resistían a la presión de dieciséis atmósferas, dejando paso a poderosos rayos caloríficos que repartían desigualmente el calor. Ahora bien, los cristales de que yo me sirvo no tienen menos de veintiún centímetros en su centro, es decir, treinta veces el espesor de aquéllos.

—Todo eso está bien, capitán Nemo; pero para ver se necesita que la luz disipe las tinieblas, y yo me devano los sesos sin atinar cómo en medio de la oscuridad de las aguas...

—Detrás de la jaula del timonel se halla colocado un poderoso reflector eléctrico, cuyos rayos iluminan el mar hasta media milla de distancia.

—¡Ah, bravo, bravísimo, capitán! Ahora me explico esa fosforescencia del pretendido narval, que tanto ha dado que pensar a los sabios. Y a propósito, quiero preguntaros si el choque del *Nautilus* y del *Scotia*, que tanto ruido metió, ha sido el resultado de un encuentro casual.

—Puramente fortuito, caballero. Navegaba a dos metros bajo la superficie cuando se produjo el choque, y vi que por fortuna no había tenido resultado alguno de importancia.

—Es verdad, ninguno; pero en cuanto al encuentro con el *Abraham Lincoln*...

—Señor profesor, mucho lo siento, porque es uno de los mejores navíos de esa valiente Marina americana, pero me atacaban y he tenido que defenderme. A pesar de esto, me he limitado a dejar la fragata en estado de no poder perjudicar; pero hallará medios de reparar con facilidad sus averías en el puerto más próximo.

—¡Ah, comandante! —exclamé con entusiasmo—. Ciertamente que es un maravilloso buque vuestro *Nautilus*.

—Sí, señor profesor —respondió con verdadera emoción el capitán Nemo—, y le amo como a la carne de mi carne. Si cuando se encierra uno en vuestros navíos, sometidos a los azares del océano, comprende uno el peligro en que se encuentra; si en este mar la primera impresión es el sentimiento del abismo, como lo ha expresado tan bien el holandés Jansen, más abajo y a bordo del *Nautilus*, el corazón del hombre nada tiene que temer. No hay deformación posible, porque el doble casco de este buque tiene la rigidez del hierro; ninguna de estas maniobras que tan necesarias se hacen y que tanto fatigan por la agitación de las aguas y el balanceo de los vientos; no hay velas que puedan hacer zozobrar la nave; no hay calderas que puedan estallar; no hay incendio que temer, puesto que el aparato está hecho de láminas de acero, no de madera, y no hay carbón que se agote, puesto que la electricidad es un agente mecánico; no tiene que temer choques, pues es el único que navega en las aguas profundas; no arrostra las tempestades, puesto que descendiendo algunos metros se halla allí la calma y la tranquilidad más profunda. He aquí, amigo, he aquí el navío por excelencia; y si es cierto que el ingeniero tiene ordinariamente más confianza en los buques que el constructor, y que el constructor tiene más que el capitán, comprenderéis perfectamente qué confianza tendré yo en el *Nautilus,* siendo a la vez ingeniero, constructor y capitán.

El capitán Nemo hablaba con tal elocuencia, y había en su mirada tal fuego y en su fisonomía tal pasión, que atraía y convencía, al mismo tiempo que le daban un aspecto deslumbrador. Sí, amaba a su buque como un padre ama a su hijo.

Pero una pregunta, indiscreta quizá, se planteaba naturalmente, y no pude contenerme.

—¿Sois acaso ingeniero, capitán Nemo?

—Sí, señor profesor; he estudiado en Londres, en París, en Nueva York, en aquellos tiempos en que era habitante de los continentes de la tierra.

—Pero ¿cómo habéis podido construir en secreto ese admirable *Nautilus*?

—Cada uno de sus trozos, amigo Aronnax, ha llegado con destino a mí desde un punto distinto del globo, y bajo una denominación disfrazada. Su quilla ha sido forjada en Creusot (Francia); su árbol de hélice en casa de "Pen y Compañía", en Londres; las planchas de acero de su casco en casa de "Leard", de Liverpool; su hélice en casa de "Scott", de Glasgow; sus receptáculos han sido fabricados por "Cail y Compañía", de París; la máquina por "Krupp", en Prusia; su espolón en los talleres de "Motala", en Suecia; sus instrumentos de precisión en casa de "Art, hermanos", de Nueva York, etcétera; y cada uno de estos señores ha recibido mis planos bajo diversos nombres.

—Pero —repuse— esos trozos así fabricados no servían aisladamente; era preciso montarlos y unirlos.

—Señor profesor, había establecido mis talleres en un islote desierto en pleno océano. Allí mis obreros, es decir, mis valerosos compañeros, a quienes había instruido y educado al efecto, han acabado bajo mi dirección ese *Nautilus*, que debía servirnos de morada. Terminada la operación, el fuego ha destruido toda huella de nuestro paso por aquel islote, que hubiese hecho volar de buena gana si hubiese podido.

—Construido de esa manera, habrá sido muy crecido el precio de ese buque.

—Señor Aronnax, un navío de hierro viene a costar mil ciento veinticinco francos por tonelada, y el *Nautilus* apenas si pasa de mil quinientos. Su valor total es de dos millones, comprendiendo el mueblaje, y de cuatro a cinco millones con las obras de arte y colecciones que encierra.
no me creéis impertinente.

—Decid, señor profesor.

—¿Sois muy rico?

—Infinitamente rico; y sin mucha molestia podría pagar los doce mil millones de francos que debe Francia.

Quedé aturdido y absorto mirando con fijeza al extravagante personaje que me hablaba en tales términos. ¿Abusaba de mi credulidad? El porvenir debía explicarme satisfactoriamente lo que entonces no comprendía, y responder a esta duda que se levantaba en mi ánimo.

Capítulo XIV

EL RÍO NEGRO

La porción del globo terrestre ocupada por las aguas, puede evaluarse en tres millones ochocientos treinta y dos mil quinientos cincuenta y ocho miriámetros cuadrados, o sea más de treinta y ocho millones de hectáreas. Esta masa líquida comprende dos mil doscientos cincuenta millones de millas cúbicas, y formaría una esfera de un diámetro de sesenta leguas, cuyo peso vendría a ser tres quintillones de toneladas. Y para formar idea de lo que es esa cantidad, se necesita decir que el quintillón es al millar lo que el millar a la unidad; es decir, que hay tantos millares en un quintillón como unidades en un millar. Luego, esta masa líquida viene a ser casi la cantidad de agua que podrían verter todos los ríos de la tierra por espacio de cuarenta mil años.

Durante las épocas geológicas, al período de fuego sucedió el período del agua. El océano fue al principio universal; después, poco a poco, en los tiempos silúreos, aparecieron las cimas de las montañas, quedaron en seco algunas islas, desaparecieron bajo diluvios parciales, volvieron a presentarse de nuevo, se soldaron, formaron continentes y, últimamente, se fijaron las tierras tales como las vemos hoy. Lo sólido había conquistado sobre lo líquido treinta y siete millones seiscientas cincuenta y siete millas cuadradas, o sea doce mil novecientas dieciséis millones de hectáreas. La configuración de los continentes permite dividir las aguas en cinco partes: el océano Glacial Ártico, el océano Glacial Antártico, el océano Índico, el océano Atlántico y el océano Pacífico.

El océano Pacífico se extiende del Norte al Sur entre los dos círculos polares, y del Oeste al Este entre Asia y América, en una extensión de ciento cuarenta y cinco grados en longitud. Es el más tranquilo de los mares; sus corrientes son anchas y lentas, sus mareas no muy fuertes, sus lluvias abundantes. Tal era el océano que mi destino me llamaba a recorrer desde luego en las condiciones más extrañas.

—Señor profesor —me dijo el capitán Nemo—, vamos, si queréis, a fijar exactamente nuestra posición y el punto de partida de este viaje. Son las doce menos cuarto. Vamos a subir a la superficie.

El capitán comprimió tres veces un timbre eléctrico. Las bombas empezaron a echar el agua de sus receptáculos; la aguja del manómetro señaló, según las diferentes presiones, el movimiento ascensional del *Nautilus*; por fin se detuvo.

El capitán, que había observado atentamente, dijo:

—Hemos llegado, por fin.

Me dirigí entonces a la escalera central, que iba a terminar en la plataforma. Subí los escalones de metal, y abiertas las escotillas, llegué a la parte superior del *Nautilus*.

Había sólo descubiertos en la plataforma ochenta centímetros. La proa y la popa del *Nautilus* presentaban esa disposición fusiforme que precisamente le hacía comparable a un cigarro muy prolongado. Pude notar entonces que sus planchas de acero, perfectamente imbricadas tenían mucho parecido con las escamas que revisten el cuerpo de los grandes reptiles terrestres. Así es como pude naturalmente explicarme que, a pesar de los mejores anteojos, el *Nautilus* hubiera sido siempre confundido con un animal marino.

Hacia la mitad de la plataforma, la canoa, sujeta al casco del navío, formaba una ligera escrecencia. A proa y a popa podían observarse dos especies de jaulas de mediana altura, de paredes inclinadas, y cerradas casi por espesos cristales lenticulares: una, destinada al timón que dirigía al *Nautilus*; encerraba la otra un poderoso proyector eléctrico que iluminaba su camino.

Magnífico estaba el mar, el cielo radiante. Apenas si el *Nautilus* daba muestras de sentir las ondulaciones del océano. Una ligera brisa del Este hacía rizarse apenas la superficie de las aguas. El horizonte, limpio de las brumas, facilitaba el hacer observaciones.

Pero no teníamos a la vista cosa alguna; ni un escollo, ni un islote, ni el *Abraham Lincoln* siquiera... La inmensidad desierta.

El capitán Nemo, provisto de su sextante, tomó la altura del sol para averiguar la latitud. Esperó durante algunos minutos para que el astro viniese a buscar el nivel con el borde del horizonte; y mientras que hacía estas observaciones ninguno de sus músculos se estremecía, y el instrumento seguramente no hubiera estado más inmóvil en una mano de mármol.

—Son las doce —dijo—, señor profesor, y cuando queráis...

Dirigí una última mirada a aquel mar bastante amarillento por las inmediaciones de las tierras japonesas, y volví a bajar al salón.

Una vez allí el capitán hizo sus cálculos para fijar

cronométricamente su longitud, comparándola con precedentes observaciones de ángulos horarios. Después me dijo:

—Señor Aronnax, nos encontramos exactamente a ciento cincuenta y siete grados y quince minutos de longitud al Oeste.

—¿De qué meridiano? —pregunté vivamente, esperando que la respuesta del capitán me indicaría su nacionalidad.

—Caballero —me respondió—, tengo diferentes cronómetros, arreglados a los meridianos de París, de Greenwich y de Washington. Pero haciéndoos todos los honores, me voy a servir en esta ocasión del meridiano de París.

Esta respuesta no venía a aclararme nada; me callé, pues, y el comandante continuó:

—Treinta y siete grados de longitud al Oeste del meridiano de París, y treinta grados siete minutos de latitud Norte; es decir, a trescientas millas aproximadamente de las costas del Japón. Hoy estamos a ocho de noviembre, es mediodía, y comienza nuestro viaje de exploración submarina.

—¡Guárdenos Dios! —exclamé.

—Y ahora, señor profesor —añadió el capitán—, os dejo entregado a vuestros estudios. Hacemos ruta al Este-Nordeste, y nos hallamos a cincuenta metros de profundidad. He aquí mapas perfectamente dispuestos. donde podréis seguir la marcha; queda el salón a vuestra disposición, y os pido permiso para retirarme.

El capitán Nemo me saludó, y me quedé solo, abismado en mis pensamientos, que recaían todos sobre aquel comandante del *Nautilus*. ¿Podría llegar a descubrir alguna vez a qué nacionalidad pertenecía aquel ser extraño que se jactaba de ser cosmopolita y no tener patria? ¿Qué causas habían provocado y quién podía ser objeto de aquel odio que él manifestaba a la humanidad, de aquel rencor que buscaba acaso terribles y sangrientas venganzas? ¿Podía ser uno de esos sabios desconocidos, uno de esos ignorados genios a quienes se desprecia y califica de locos, según la expresión de Conseil; algún Galileo moderno, o quizás algunos de esos hombres científicos, como el americano Maury, cuya carrera ha sido detenida y destrozada por las revoluciones políticas? Aún no podía decir nada. Me acogía con frialdad, aunque con mucha cortesía, y dándome un buen trato, cuando la casualidad acababa de arrojarme a bordo de su buque y me hallaba a merced suya. No había querido siquiera alargar su mano para estrechar la que yo le tendía, y por su parte no se había dignado tenderme la suya.

Permanecí durante más de una hora sumido en estas reflexiones, procurando penetrar aquel misterio que tanto me interesaba. Fijé después mis miradas en un inmenso planisferio extendido sobre la mesa, y coloqué el dedo en el punto de partida donde se cruzaban la longitud y latitud observadas.

El mar tiene sus ríos, como los continentes, porque así pueden considerarse esas corrientes especiales que se dan a conocer por su temperatura o por su color; y una de las más notables es la que se designa con el nombre de corriente de Gulf Stream. La ciencia ha determinado, en el globo, la dirección de cinco principales corrientes: una, en el Atlántico Norte; la segunda, en el Atlántico Sur; la tercera, en el pacífico Norte; la cuarta en el Pacífico Sur, y la quinta, en el océano Índico Sur. Es muy probable que existiera una sexta corriente en el océano Índico Norte, cuando los mares Caspio y de Aral, reunidos a los grandes lagos de Asia, formaban una sola y vasta extensión de agua.

Pues bien, en el punto indicado en el planisferio se desarrollaba una de esas corrientes, el Kuro-Scivo de los japoneses, el río Negro, que saliendo del golfo de Bengala, donde le calientan los rayos perpendiculares del sol de los trópicos, atraviesa el estrecho de Malaca, prolongándose por la costa de Asia; da vuelta en el Pacífico Norte hasta las islas Aleutianas, arrastrando troncos de alcanfor y otros productos indígenas, y cortando con el puro índigo de sus calientes aguas las olas del océano. Ésa era la corriente a que el *Nautilus* iba a abandonarse para recorrerla. Seguíale yo con la mirada, viendo cómo se perdía en la inmensidad del Pacífico, y me sentía arrastrar con él, cuando Ned Land y Consejo se presentaron a la puerta del salón. Mis dos bravos compañeros se quedaron asombrados al divisar las maravillas con tal profusión y con tal orden amontonadas ante sus ojos.

El canadiense exclamó:

—¿Dónde nos encontramos? ¿Dónde hemos venido a parar? ¿Al museo de Quebec?

—Paréceme —dijo Consejo— que podemos decir con más propiedad que estamos en el palacio de Sommerad.

—Amigos míos —respondí, haciéndoles señas para que pasaran adelante—, ni estáis en el Canadá, ni en Francia; os halláis a bordo del *Nautilus* y a cincuenta metros bajo el nivel del mar. Ésta es la pura realidad.

—Preciso será creeros, puesto que tan formalmente lo afirmáis —replicó Consejo—; mas con todo eso, francamente, este salón es muy propio y muy digno para causar extrañeza y asombro aun a los tranquilos flamencos como yo.

—Asómbrate, amigo mío, y examina con atención; porque para un clasificador de tu fuerza y de tu temple hay aquí mucho que admirar, y puede hallarse bastante trabajo para distraer la atención y ocuparla.

No tenía necesidad de gran esfuerzo para alentar a Consejo. El buen muchacho, examinando los estantes, murmuraba ya palabras propias de los naturalistas: clase de los gasterópodos, familia de los bucinóideos, género de las porcelanas, especie de los *Cypræa Madagascarriensis,* etcétera.

Durante ese tiempo, Ned Land, muy poco interesado en los estudios de las conchas, me dirigía algunas preguntas relativas a mi entrevista con el capitán Nemo. Deseaba saber si había yo descubierto quién era, de dónde venía, a dónde iba y a qué profundidades nos arrastraba, con otras mil preguntas a que yo no podía responder.

Indiqué entonces a mis compañeros lo que había podido averiguar, o más bien que nada sabía, preguntándoles a mi vez lo que por su parte había visto u oído.

—Nada he visto, nada he oído —respondió el canadiense—, ni aún he logrado divisar a ningún miembro de la tripulación del buque. ¿Serán acaso eléctricos también estos tripulantes?

—¿Eléctricos...?

—A fe mía que bien puede uno figurárselo.

—¿Es cierto eso, señor Aronnax? —preguntó entonces Ned Land, que conservaba siempre su primitiva idea—. Y ¿no podéis decirnos tampoco cuántos hombres habrá a bordo? ¿Serán diez, veinte, cincuenta o ciento?

—No puedo absolutamente deciros nada, amigo Land. Además, creedme, es preciso abandonar por ahora la idea que acariciáis y renunciar a apoderarnos del *Nautilus* o a escaparnos. Este barco es una de las obras maestras de la ingeniería moderna, y tendría un verdadero remordimiento de no haberle visto y examinado. Muchas personas conozco yo que aceptarían con gusto nuestra situación a trueque de poder pasear por entre todas estas maravillas que ha reunido aquí el constructor del *Nautilus*. Por esto os ruego que os mantengáis tranquilo y que procuremos ver y examinar atentamente lo que pasa alrededor nuestro, sin comprometer nuestra situación, que es harto difícil.

—¿Ver? —exclamó el arponero—. ¡Pero si aquí no se ve nada, ni se verá nunca cosa de provecho en esta extraña cárcel de acero! Nos movemos y vamos navegando como ciegos...

Apenas acababa de pronunciar Ned Land estas palabras, cuando quedamos repentinamente en tinieblas profundas, en una oscuridad absoluta. La antorcha luminosa se extinguió, pero tan rápidamente que mis ojos sintieron una impresión dolorosa, análoga a la que se produce cuando de las tinieblas más espesas se pasa repentinamente a una luz brillante y deslumbradora.

Nos quedamos mudos y en el mayor estupor, sin saber si debíamos esperar una sorpresa agradable o desagradable. Parecía como si nos deslizásemos por una pendiente rápida; oímos un rechinamiento y se hubiera dicho que las paredes se descorrían y abrían en los costados del *Nautilus*.

—Hemos llegado al fin de lo último —dijo Ned Land.

—Orden de las hidromedusas —murmuró Consejo.

Nuevamente se hizo la luz, y distinguimos gran claridad en ambos lados del salón, a través de dos ventanas oblongas. Las masas líquidas aparecieron iluminadas por los efluvios eléctricos; dos láminas de cristal nos separaban del mar, y al principio sentí un estremecimiento al recordar que aquel frágil tabique podía quebrarse, aunque sostenido por fuertes armaduras de cobre presentaba una resistencia casi infinita.

Distinguíase perfectamente el mar en un radio de media milla alrededor del *Nautilus*. ¡Qué espectáculo! ¿Cómo podría describirse la belleza de aquella inmensidad? ¿Quién podría pintar los efectos de la luz a través de aquellas masas transparentes, y la suavidad de aquellas degradaciones sucesivas hasta las capas inferiores y superiores del océano?

Todo el mundo conoce la diafanidad del mar. Es sabido que su limpidez es superior a la del agua de roca, y hasta las sustancias minerales y orgánicas que tiene en suspensión contribuyen a aumentar esa transparencia. En algunas partes del océano, en las Antillas, puede distinguirse a través de ciento cuarenta y cinco metros de agua el lecho de arena con sorprendente claridad, y la fuerza de penetración de los rayos solares no parece terminar hasta la profundidad de trescientos metros. En aquella masa flúida que recorría el *Nautilus*, el resplandor, el brillo eléctrico se producía en el seno mismo de las ondas, y no era ya agua luminosa, sino más bien luz líquida; tal era la intensidad de aquel foco ardiente y esplendoroso.

Si se ha de admitir la hipótesis de Erhember, que cree en una iluminación fosforescente de los fondos submarinos, la Naturaleza ha reservado ciertamente para los habitantes del mar uno de sus más prodigiosos espectáculos, según podía yo juzgarlo al ver los mil juegos y cambiantes de aquella luz. A cada lado había una ventana abierta sobre los abismos desconocidos. La oscuridad del salón hacía valer entonces y daba realce a la claridad exterior; y nosotros contemplábamos aquello como si tan diáfano cristal hubiera sido la ventana de comunicación con un inmenso acuario.

El *Nautilus* permanecía quieto, al parecer, y es porque faltaban los puntos de comparación; y, a veces, con todo esto, las líneas de agua que el espolón cortaba huían a nuestras miradas con una velocidad excesiva, increíble. Nosotros, maravillados al presenciar aquellas metamorfosis, permanecíamos apoyados los codos sobre las ventanas, sin atrevernos a pronunciar palabra, cuando Consejo, rompiendo el silencio, dijo:

—¡Queríais ver, amigo Ned! Pues bien, ahora quedará satisfecha vuestra curiosidad.

—¡Curioso, curioso! —decía el canadiense, que, olvidando su cólera y sus proyectos de evasión, experimentaba una atracción irresistible—. Y ¡vendrían de muy lejos para admirar este espectáculo!

—¡Ah! —exclamé—. ¡Comprendo la vida de ese hombre! Se ha formado un mundo aparte que le reserva sus más asombrosas maravillas.

—¿Y los peces? —prosiguió el canadiense—. No veo peces.

—¿Qué os importa, amigo Ned —respondió Consejo—, puesto que no los conocéis?

—¿Me decís a mí eso, a mí, pescador? —exclamó Ned Land.

Y con este motivo se entabló una discusión entre ambos amigos, porque conocían los peces, pero cada uno de una manera muy distinta.

Todo el mundo sabe que los peces forman la cuarta y última clase de la ramificación de los vertebrados, y que se les ha definido con mucha precisión: "Vertebrados de doble circulación y de sangre fría, que respiran por branquias y están destinados a vivir en el agua." Forman dos series distintas: la serie de los peces óseos, es decir, de aquellos cuya espina dorsal está formada por vértebras huesosas, y la de los peces cartilaginosos, es decir aquellos cuya espina dorsal está compuesta de vértebras cartilaginosas.

Conocía quizás el canadiense esta distinción, pero Consejo lo sabía mucho mejor; y en buena amistad ahora con Ned, no podía comprender ni admitir que fuese menos instruido que él. Por eso le dijo:

—Amigo Ned, sois un buen arponero, un buen matador de peces, un hábil pescador. Habéis cogido en vuestra vida muchos de esos interesantes animales, pero apostaría cualquier cosa buena a que no sabéis clasificarlos.

—Sí —respondió muy serio el ballenero—; se los

clasifica en peces que se comen y en peces que no se comen.

— He aquí una distinción propia del que está atormentado por la gula — respondió Consejo —. No sabréis responder, sin embargo, a esta pregunta: ¿Qué diferencia existe entre los peces óseos y los peces cartilaginosos?

— Tal vez sí, Consejo.

— ¿Y conocéis la subdivisión de estas dos grandes clases?

— No la sé — respondió el canadiense con la mayor imperturbabilidad.

— Pues bien, amigo Ned; escuchadme y conservadlo en la memoria. Los peces óseos se subdividen en seis órdenes: los acantopterigios, cuya mandíbula superior es completa, móvil, y cuyas branquias afectan la forma de un peine. Este orden comprende quince familias, que componen las tres cuartas partes de los peces conocidos, y su tipo es la percha común.

— Bastante buena para comer — interrumpió Ned Land.

— Segundo — continuó Consejo, sin tomar en cuenta la advertencia —: los abdominales, que tienen las nadaderas ventrales suspendidas bajo el abdomen y detrás de las pectorales, sin que se hallen soldadas a los huesos dorsales; orden que se divide en cinco familias y que comprende la mayor parte de los peces de agua dulce, teniendo por tipo la carpa y el sollo.

— ¡Pshé! — dijo el canadiense con cierto desprecio —, ¡Peces de agua dulce!

— Tercero — añadió Consejo —: los subranquianos, cuyas ventrales están colocadas bajo las pectorales e inmediatamente suspendidas de los huesos del dorso. Este orden contiene cuatro familias, cuyos tipos son las platijas y los lenguados.

— ¡Sobresaliente, sobresaliente! — exclamaba el ballenero, que sólo quería considerar los peces bajo el punto de vista comestible.

— Cuarto — interrumpió Consejo, que estaba decidido a darle un curso completo de ictiología —: los ápodos, de cuerpo prolongado, desprovistos de nadaderas ventrales y revestidos de una piel espesa y muchas veces grasienta y escurridiza; orden que sólo comprende una familia y cuyo tipo es la anguila, el gimnoto.

—Eso es mediano, mediano —replicó Ned Land.

—Quinto —dijo Consejo—: los lofobranquios, que tienen las mandíbulas completas y libres, cuyas branquias están formadas de pequeños flecos dispuestos por pares a lo largo de los arcos branquiales. Este orden tampoco tiene más que una familia, y su tipo son los hipocampos, los pegasos-dragones.

—¡Malo, malo! —dijo, meneando la cabeza, el arponero.

—Sexto y último —dijo Consejo—: los plectognatos, cuyo hueso maxilar está fijamente soldado sobre el lado del intermaxilar que forma la mandíbula, y cuyo arco palatino se engrana por sutura con el cráneo, lo cual le deja inmóvil; orden que carece de verdaderos ventrales y que se compone de dos familias, cuyos tipos son los tetrodontes y los peces-luna.

—Que son a propósito para deshonrar una sartén —respondió el canadiense.

—¿Habéis comprendido bien, amigo Ned, mis explicaciones? —preguntó con cierto orgullo el sabio Consejo.

—Absolutamente ni una palabra, amigo mío —repuso el ballenero—; pero seguid, seguid en vuestra tarea, porque me va pareciendo interesante.

—En cuanto a los peces cartilaginosos —volvió a proseguir con su natural impasibilidad Consejo— sólo comprenden tres órdenes.

—Tanto mejor —dijo Ned.

—Primero: los ciclóstomos, cuyas mandíbulas están soldadas en un anillo móvil, y cuyas branquias se abren en numerosos agujeros. Este orden sólo comprende una familia, cuyo tipo es la lamprea.

—Ciertamente muy estimable y estimada.

—Segundo: los selacianos, con branquias semejantes a las de los ciclóstomos, pero cuya mandíbula inferior es móvil. Este orden, el más importante de la clase, comprende dos familias, cuyos tipos son las rayas y los tiburones.

—¡Cómo! —exclamó Ned—. ¿Las rayas y los tiburones en el mismo orden? Pues bien, amigo Consejo, por interés y compasión a las rayas, os aconsejo que no los pongáis nunca juntos en el mismo estanque.

—Tercero: los esturionianos, cuyas branquias están abiertas por una sola hendidura terminada por una válvula. Este orden comprende cuatro géneros, cuyo tipo es el esturión.

—¡Hola, amigo Consejo! Habéis guardado lo mejor para lo último, al menos a mi parecer. ¿Y es eso todo lo que sabéis?

—Sí, mi buen Ned; pero debéis tener presente que cuando uno sabe todo esto, no sabe nada aún, porque las familias se dividen en géneros, en subgéneros, en especies, en variedades...

—Puen bien, querido Consejo —dijo el ballenero, inclinándose hacia el cristal que había en el tabique—, observad ahí las "variedades" que pasan.

—¡Es verdad; peces! —exclamó Consejo—. Creería uno hallarse delante de un acuario.

—No —respondí yo interviniendo en el debate—; porque el acuario es una jaula, y estos peces están aquí libres, como el pájaro en el aire.

—Pues bien —decía Ned Land—, nombradlos, especificadlos bien, amigo Consejo.

—Yo —respondió Consejo— no soy capaz de hacer tal cosa; esto le corresponde a mi amo.

Y, efectivamente, el buen muchacho, clasificador rabioso, no podía pasar por naturalista, y no me atrevería a afirmar que hubiese sabido distinguir un atún de un bonito. Era, en una palabra, el reverso de la medalla del canadiense, que nombraba sin titubear todos aquellos peces.

—Un baliste —dije yo.

—Y un baliste chino —añadía Ned Land.

—Género de los balistes, familia de los esclerodermos, orden de los plectógnatos —murmuraba Consejo.

Puede decirse, desde luego, que entre los dos hubieran formado un naturalista completo.

El canadiense no se había engañado. Un tropel de balistes de cuerpo comprimido, de piel granulada, armados con un aguijón en su dorsal, jugaban alrededor del *Nautilus*, y agitaban las cuatro filas de punzantes espinas que erizan cada lado de su cola. ¡Qué admirable es su vestidura cenicienta por encima, blanca por abajo, cuyas manchas de oro brillaban chispeantes en el sombrío remolino de las aguas! Ondulaban allí entre ellos las rayas, como una bandera desplegada al viento, y entre ellas distinguí, con gran alegría mía, esa raya china, amarillenta en su parte superior, de color rosa bajo su vientre, y provista de tres aguijones en la parte posterior del ojo: especie muy rara y aun dudosa en los tiempos de Lacepede, que no consiguió verla más que en una colección de dibujos japoneses.

Durante dos horas fue escoltando al *Nautilus* todo un ejército acuático. En medio de sus juegos, de sus saltos, y rivalizando todos en belleza, en brillo y en velocidad, pude distinguir el labroverde, el salmonete barberino, señalado con una doble raya negra, el gobio eleotro, de cola redonda, blanco, y con manchas violeta en el dorso; el escombro japonés, de cuerpo azul y plateada cabeza; las brillantes azurores, cuyo solo nombre dispensa de toda descripción; los esparos rayados, de nadaderas matizadas de azul y amarillo; los esparos zonéforos, elegantemente fajados por sus seis cinturas; los aulóstonos, verdaderas bocas de flauta, que llegan algunas veces a la longitud de un metro; las salamandras del Japón; las murenas equídneas, largas serpientes de seis pies, ojos vivos y muy pequeños, con ancha boca, erizada de dientes, etcétera.

Nuestra admiración se mantenía siempre despierta hasta el más alto grado, y no podíamos agotar las interjecciones. Ned nombraba los peces. Consejo los clasificaba; yo quedaba extasiado ante la vivacidad de sus movimientos y la belleza de sus formas. Nunca había logrado sorprender a los animales del mar vivos y libres en su elemento natural, y esto servía también para mantenerme atónito.

Sería muy difuso si hubiese de citar todas las variedades que pasaron ante nuestros ojos admirados, porque es inmensa la colección en los mares del Japón y de la China. Esos peces acudían más numerosos que las aves que pueblan el espacio, atraídos sin duda por el brillante foco de luz eléctrica.

De repente, se alumbró completamente el salón;

volvieron a caer las planchas de acero fundido, y desapareció la encantadora visión. Durante largo tiempo, sin embargo, continué soñando aún, hasta que mis miradas se fijaron en los instrumentos suspendidos en las paredes. La brújula señalaba siempre la dirección del Nordeste; el manómetro indicaba una presión de cinco atmósferas, correspondiente a una profundidad de cincuenta metros, y sosteníamos una marcha de quince millas por hora.

Esperaba que se presentaría el capitán Nemo, pero no apareció; el reloj señalaba las cinco.

Ned Land y Consejo volvieron a su camarote, y yo a mi cuarto. Encontré preparada la comida, que se componía de sopa de tortuga, hecha con los careyes (1) más delicados; de un mero de carne blanca, cuyo hígado, preparado aparte, tenía un sabor delicioso, y filetes, de esa carne del holocanto emperador, cuyo sabor me pareció superior con mucho al del salmón.

Pasé la noche leyendo, escribiendo y pensando, y después, habiéndome acometido el sueño, me tendí en la cama, quedando profundamente dormido; mientras que el *Nautilus* se deslizaba siguiendo la rápida corriente del río Negro.

Capítulo XV

UNA INVITACIÓN POR ESCRITO

Al día siguiente, 9 de noviembre, me desperté muy tarde; había dormido doce horas. Vino Consejo, según su costumbre, a saber cómo el señor había pasado la noche, y a ofrecerle sus servicios. Había dejado a su amigo el canadiense durmiendo como si no hubiera hecho ni tenido que hacer otra cosa en toda su vida.

(1) El carey es la especie de tortuga más apreciada por los gastrónomos, y la que suministra la concha más estimada para las artes de adorno.

Dejé que el buen muchacho charlara y se despachase a su gusto sin responderle casi. Me preocupaba bastante la ausencia del capitán Nemo, que no se había presentado durante nuestra sesión de la víspera, y tenía esperanza de que no pasaría el día sin volverle a ver. Me vestí con el traje de biso (1) que se me había proporcionado, el cual, por su naturaleza, dio ocasión a muchas reflexiones del curioso Consejo. Le expliqué que estaba fabricado con los filamentos lustrosos y sedosos que sujetan a las rocas las ostras-peñas, especie de moluscos muy abundantes en las costas del Mediterráneo, y con cuyas hebras se construían en otro tiempo hermosas telas, medias, guantes, que eran muy flexibles y proporcionaban mucho calor. Podía, pues, la tripulación del *Nautilus* vestirse muy barato sin pedir nada a los algodoneros, ni a los carneros, ni a los gusanos de seda de la tierra.

Cuando me hube vestido, pasé al gran salón, que se hallaba desierto. Allí me dediqué al estudio de aquellos tesoros de conchas amontonadas en los armarios, y registré también colecciones de hierbas y plantas marinas muy raras, que, aunque secas, conservaban sus admirables y variados colores. Entre aquellas preciosas hidrófitas pude notar perfectamente las cladóstefas verticíleas, las paladinas o colas de pavo real (2), las caulerpas de hoja de viña, los calitamos graníferos, las delicadas ceramias, de color escarlata, los agaros en forma de abanico, los acetábulos, semejantes a setas muy deprimidas, y que durante mucho tiempo fueron clasificados entre los zoófitos; en fin, toda una serie de numerosos fucos.

Pasó el día entero sin que me viese honrado con la visita del capitán Nemo. Las puertas de comunicación del salón no se abrieron, porque no se quería quizá que nos hastiásemos de observar aquellas inmensas maravillas.

(1) Por otro nombre lana-peña, filamentos con que la almeja, llamada ostra-peña, se adhiere a los peñascos.

(2) Esta planta es notable por la semejanza de sus hojas, desplegadas en abanico, con una cola de pavo real, no solamente en su forma, sino también en los colores que refleja, descomponiendo la luz. Abunda en el Mediterráneo, pero aparece en el verano para perder su brillo en el otoño.

La dirección del *Nautilus* era entonces al Estenordeste; su velocidad, unas doce millas; la profundidad variaba entre cincuenta y sesenta metros.

Al otro día, 10 de noviembre, el mismo abandono, la misma soledad. No vi a nadie de la tripulación, y Ned y Consejo pasaron la mayor parte del día a mi lado, asombrándose, como yo, de la inexplicable ausencia del capitán. ¿Estaba enfermo acaso? ¿Quería modificar sus proyectos respecto a nosotros?

Después de todo, según las observaciones de Consejo, gozábamos de una absoluta libertad, y se nos alimentaba perfectamente. Nuestro jefe se atenía, pues, a los términos del tratado, y no podíamos quejarnos, porque la singularidad misma de nuestro destino nos reservaba por otra parte tan hermosas compensaciones que no teníamos ni aun derecho de acusarle.

En este día di principio al Diario de estas aventuras, lo que me ha permitido referirlas con la más escrupulosa exactitud, y, detalle curioso, lo escribí en un papel fabricado con el zostero marino.

El 11 de noviembre, muy de madrugada, comprendí, por el aire fresco que se había esparcido en el interior del *Nautilus,* que habíamos vuelto a la superficie del océano para renovar las provisiones de oxígeno. Me dirigí hacia la escalera central y subí a la plataforma.

Eran las seis; el cielo aparecía nublado, el mar en calma, apenas había oleaje. ¿Vendría allí el capitán Nemo, a quien creía encontrar? Sólo pude distinguir al timonel, aprisionado en su jaula de cristal. Sentado en el saliente producido por el casco de la canoa, aspiré por largo rato las emanaciones salinas.

Poco a poco se disipó la bruma bajo la acción de los rayos solares, y el astro esplendoroso y radiante asomaba en el horizonte oriental. El mar se inflamó bajo su mirada como un reguero de pólvora, y las nubes esparcidas por las alturas tomaron tonos muy vivos, admirablemente matizados, y por sus formas caprichosas anunciaron viento para todo el día, formando la *lengua de gato* (1).

(1) Pequeñas nubes blancas, ligeras, dentadas en sus bordes.

¿Qué importaba el viento al *Nautilus*, si no habían de llegar a él las tempestades?

Estaba contemplando con emoción aquella risueña salida del sol, tan alegre, tan vivificante, cuando oí que subía alguien a la plataforma.

Me preparaba a saludar al capitán Nemo, y fue su segundo el que se presentó, adelantándose por la plataforma como si no se percatase de mi presencia en ella. Tomando un poderoso anteojo, le dirigió a todos los puntos del horizonte, examinándolos con una extremada atención, y hecho este examen, se aproximó a la entrada, pronunciando una frase cuyos términos exactos voy a reproducir. He conseguido recordarla, porque todas las mañanas podía oírla en idénticas condiciones. He aquí la frase:

Nautron respoc lorni virch.

Qué es lo que significa, no podría decirlo.

Pronunciadas estas palabras, volvió a bajar el segundo; y yo, calculando que el *Nautilus* iba a emprender su navegación submarina, volví a penetrar en las entrañas del monstruo, y me dirigí a mi habitación.

Transcurrieron cinco días sin que se modificase la situación, y todas las mañanas subía a la plataforma, oía pronunciar la misma frase, que con tono solemne decía el mismo individuo, y el capitán Nemo no aparecía por ninguna parte.

Me había yo resignado a la conformidad de no verle ya, cuando el 16 de noviembre, al entrar en mi cuarto con Ned y Consejo, hallé sobre la mesa una esquela dirigida a mí. La abrí con impaciencia. Estaba escrita con una letra clara, pero algún tanto gótica, y que recordaba los tipos alemanes.

La esquela estaba concebida en estos términos:

"Sr. profesor Aronnax.
A bordo del *Nautilus*.

16 de noviembre de 1867.

"El capitán Nemo invita al señor profesor Aronnax a una partida de caza, que tendrá lugar mañana por la mañana en sus bosques de la isla Crespo. Espera que no habrá nada que le impida asistir, y vería con mucho gusto que concurrieran también sus compañeros.

"El comandante del *Nautilus*
"CAPITÁN NEMO."

—¡Una caza! —exclamó Ned.

—¡Y en sus bosques de la isla Crespo! —añadió Consejo.

—¡Irá acaso a tierra este singular caballero? —repuso Ned Land.

—Así parece claramente indicado —dije leyendo otra vez la carta.

—Es preciso aceptar —replicó el canadiense—. Una vez colocados en tierra firme, ya trataremos de tomar nuestro partido; además, que no me incomodaría si pudiese comer algunos trozos de carne fresca.

Sin tratar de conciliar lo que había de contradictorio entre el horror manifestado por el capitán Nemo hacia los continentes y las islas y la invitación que nos dirigía para acompañarle a cazar en el bosque, me limité a responder:

—Veamos primero dónde está y lo que es la isla Crespo.

Entonces consulté el planisfero; y por los 32° 40' de latitud Norte y los 167° 50' de longitud Oeste, pude hallar un islote que fue reconocido en 1801 por el capitán Crespo, y que los antiguos mapas españoles designaban con el nombre de *Roca de la plata.* Nos hallábamos, pues, a unas mil ochocientas millas aproximadamente del punto de partida, y la dirección algún tanto modificada del *Nautilus* le llevaba en dirección del Sudeste.

Les enseñé a mis compañeros aquella pequeña roca perdida en medio del Pacífico Norte.

—Si el capitán Nemo va algunas veces a tierra —les dije—, por lo menos escoge islas desiertas.

Ned Land se encogió de hombros sin responder, y después Consejo y él me abandonaron. Sirviéronme la cena con el mismo ceremonial y el mismo silencio de siempre, y me dormí profundamente afectado.

Al día siguiente, 17 de noviembre, cuando desperté

pude notar que el *Nautilus* estaba completamente inmóvil.

Me vestí de prisa, y pasé al gran salón.

Ya estaba allí el capitán Nemo, que me esperaba, se levantó, me dedicó un saludo afectuoso y me preguntó si nos convenía acompañarle.

Como no hizo por su parte alusión alguna a su ausencia durante aquellos ocho días, me abstuve de hablarle de ella, y respondí sencillamente que mis compañeros y yo estábamos dispuestos a seguirle. Luego añadí:

—Me permitiré dirigiros una pregunta.

—Decid, señor Aronnax; y si puedo responder a ella, lo haré con mucho gusto.

—Pues bien, capitán, ¿a qué debe atribuirse que vos, que habéis roto toda relación con la tierra, os halláis en posesión de bosques en la isla Crespo?

—Señor profesor —me respondió el capitán—, los bosques que poseo no piden al sol ni su luz ni su calor. Ni los leones, ni los tigres, ni las panteras, ni ningún otro cuadrúpedo los frecuenta; nadie los conoce más que yo, y su vegetación sólo para mí crece y fructifica. No son bosques terrestres, son bosques submarinos.

—¿Bosques submarinos? —exclamé.

—Sí, señor profesor.

—¿Y me ofrecéis guiarme hasta ellos?

—Precisamente.

—¿A pie?

—Y a pie enjuto.

—¿Cazando?

—Cazando, sí.

—¿Y con la escopeta en la mano?

—Con la escopeta en la mano.

Miré al comandante del *Nautilus* de una forma que nada tenía de lisonjero para su persona. "Decididamente —pensaba yo—, tiene enfermo el cerebro. Habrá tenido un acceso que ha durado ocho días y continúa aún, es lastimoso; preferiría que fuese un hombre estrafalario a habérmelas con un loco."

Tan bien se transparentaba este pensamiento, y se reflejaba tan claro sobre mi rostro, que el capitán Nemo debió comprenderlo; se limitó a indicarme que le siguiera, y lo hice, como hombre resignado a todo.

Llegamos al comedor, donde estaba servido el desayuno, y el capitán me dijo:

—Señor Aronnax, os suplico que sin ceremonia alguna partamos mi desayuno, y mientras comemos podremos hablar, porque si os he prometido un paseo por el bosque, no puedo, aunque quisiera, comprometerme a haceros encontrar allí un restaurante. Almorzad, pues, como hombre que probablemente va a comer muy tarde.

Hice, efectivamente, honor al almuerzo, que se componía de diversos peces y de tajadas de holoturias, excelentes zoófitos, principios de algas muy apetitosas, tales como *Porphiria laciniata* y la *Laurentia primafetida.* Componíase la bebida de agua cristalina, a la cual, siguiendo el ejemplo del capitán, añadí algunas gotas de un licor fermentado, extraído a usanza kamtschatkiana, del alga conocida con el nombre de *Redomenia palmeada.*

El capitán Nemo también comió con apetito, y sin pronunciar una sola palabra durante algún tiempo. Después me dijo:

—Señor profesor, cuando os he propuesto que vinieseis a cazar a mis bosques de Crespo, habéis llegado a suponer que estaba yo en contradicción conmigo mismo; y cuando os manifesté que se trataba de bosques submarinos, llegasteis a juzgar que os las habíais con un loco. Pues bien, señor profesor, no conviene juzgar jamás a los hombres con esa ligereza.

—Pero, capitán; creed que...

—Si me escucháis un momento, podréis convenceros de que no se me puede acusar de locura ni de contradicción.

—Os escucho.

—Sabéis tan perfectamente como yo, señor profesor, que el hombre puede vivir debajo del agua, a condición de llevar consigo una provisión de aire respirable. En los trabajos submarinos, el obrero, vestido con un traje impermeable y aprisionada la cabeza en una cápsula de metal, recibe aire del exterior por medio de bombas impelentes y de reguladores especiales.

—Ése es el aparato de las escafandras —dije.

—Así es la verdad, pero en condiciones tales, el hombre no es libre; está esclavizado por la bomba que le envía aire por medio de un tubo de goma elástica, verdadera cadena que le amarra a la tierra; y si nos halláramos sujetos también al *Nautilus,* poca sería la distancia que podríamos recorrer.

—¿Y qué medios halláis para quedar libre? —pregunté.

—Emplead el aparato Rouquayrol-Denayrouce, inventado por dos de vuestros compatriotas, que he conseguido perfeccionar para mi uso, y que, como vais a observar, os permitirá actuar sin riesgo de que vuestros órganos sufran en esas nuevas condiciones fisiológicas. Compónese de un receptáculo formado por una espesa lámina de hierro, en el cual almaceno aire a una presión de cincuenta atmósferas. Este receptáculo se fija en la espalda, por medio de tirantes, como una mochila; su parte superior forma una caja, y en ella el aire, mantenido por un mecanismo de fuelle, sólo puede escaparse según su tensión normal. En el aparato Rouquayrol, tal como se ha empleado, dos tubos de goma que parten de esta caja desembocan en una especie de pabellón que aprisiona la nariz y la boca del operador, sirviendo el uno para la introducción del aire que se ha de respirar; el otro para la salida del aire respirado, y la lengua cierra éste o aquél, según las necesidades de la respiración. Yo, que tengo necesidad de sufrir presiones considerables en el fondo del mar, he tenido que encerrar mi cabeza, como la de las escafandras, en una esfera de cobre; y a esta esfera es adonde van a parar los dos tubos, inspirador y expirador.

—Perfectamente, capitán Nemo. Sin embargo, el aire que lleváis debe consumirse muy de prisa, y cuando ya sólo contiene quince por ciento de oxígeno llega a hacerse irrespirable.

—Sin duda alguna; pero como os he dicho, señor Aronnax, las bombas del *Nautilus* me permiten almacenarlo bajo una considerable presión, y en tales condiciones, el receptáculo del aparato suministra aire respirable durante nueve o diez horas.

—Ya no tengo objeciones que haceros —repuse—.

Os preguntaré solamente, ¿cómo podéis alumbrar el camino y guiar vuestros pasos en el fondo del océano?

—Con el aparato Ruhmkorff, señor Aronnax. El primero se lleva a la espalda, como os he dicho, y el segundo se sujeta a la cintura. Se compone de una pila de Bunsen, que pongo en actividad, no con bicromato de potasa, que difícilmente podría proporcionarme, sino con sodio, del que el mar está completamente saturado. Una bobina de inducción recoge la electricidad producida, dirigiéndola hacia una linterna de disposición particular. En esa linterna hay un serpentín de cristal, que sólo contiene un residuo de gas carbónico. Cuando el aparato funciona, este gas se hace luminoso y da una luz blanquecina y permanente. Así, provisto de todas estas cosas, respiro y veo.

—Capitán Nemo, dais tan satisfactorias respuestas a todas las objeciones que os presento, que no me atrevo ya a dudar. Vuestros aparatos Rouquayrol y Ruhmkorff son seguramente buenos; respecto a la escopeta con que queréis armarme, paréceme que ha de ser difícil su manejo.

—No creáis que en esa escopeta sea necesaria la pólvora —respondió el capitán.

—¿Será un arma de viento?

—Sin duda alguna. ¿Cómo queríais que fabricase pólvora a bordo, no teniendo salitre, azufre ni carbón?

—Además —dije—, para poder disparar con utilidad bajo el agua, en este medio, ochocentas cincuenta y cinco veces más denso que el aire, sería preciso vencer una resistencia considerable.

—Lo que no sería una razón de peso, pues existen ciertos cañones perfeccionados, después de Fulton por los ingleses Felipe Coles y Burley, por el francés Furcy y por el italiano Landy, provisto de un sistema particular de cierre, con los cuales puede tirarse en estas condiciones. Os repito, sin embargo, que no teniendo pólvora, la he remplazado por aire a alta presión, que las bombas del *Nautilus* me suministran en abundancia.

—Y que debe gastarse con bastante rapidez.

—Basta para evitar eso usar del que llevo en mi receptáculo Rouquayrol, que, en caso necesario, me lo suministra por medio de una llave expresamente adaptada allí; y ya veréis también, señor Aronnax, que no se hacen grandes gastos de aire ni de balas en estas cazas submarinas.

—Me parece que en esta semioscuridad y en medio de líquido tan denso, con relación a la atmósfera, no podrán tener mucha fuerza las balas, y serán difícilmente mortales.

—Sucede precisamente lo contrario; todos los golpes son mortales, y, desde el momento en que toca la bala a un animal, éste cae como herido del rayo.

—¿Por qué?

—Porque no son balas ordinarias las que lanza esta escopeta, sino pequeñas cápsulas de cristal, inventadas por el químico austríaco Leniebrock, de las cuales he hecho una gran provisión. Estas cápsulas de cristal, cubiertas de una armadura de acero y que llevan un apéndice de plomo para que tengan peso, son verdaderas botellas de Leyden, en las cuales está forzada la electricidad a muy alta tensión. Al más leve choque se descargan, y por poderoso que sea el animal, cae muerto. Debo añadir que estas cápsulas son del número cuatro, y que la carga de un fusil ordinario puede contener diez.

—Ya no quiero discutir más —respondí, levantándome de la mesa—, y voy a tomar desde luego mi escopeta. Además, donde vos vayáis, ¿por qué no había de ir yo?

El capitán me condujo hacia la popa del *Nautilus*, y al pasar delante del camarote de Ned y de Consejo, llamé a mis compañeros, que se reunieron con nosotros inmediatamente.

Llegamos a una celda situada cerca del cuarto de máquinas, y nos detuvimos allí para tomar nuestros trajes de paseo.

CAPÍTULO XVI

PASEO EN LA LLANURA

ESTA celda era, propiamente hablando, el arsenal y el vestuario del *Nautilus*. Una docena de aparatos de escafandras, suspendidos en la pared, esperaban a los paseantes.

Ned Land, al verlos, manifestó una repugnancia invencible a ponerse aquellos trajes.

—Mi querido amigo Ned —le dije—, los bosques de la isla Crespo son bosques submarinos.

—¡Bueno! —dijo el ballenero, que perdía sus ilusiones y veía desvanecerse sus sueños de carne fresca—. Y vos, señor Aronnax, ¿vais a atreveros a penetrar en esos trajes?

—Es necesario, Ned.

—Sois libre, señor —respondió el arponero encogiéndose de hombros—; por lo que a mí respecta, a menos que no se me obligue, no entraré ahí dentro.

—Nadie os ha de forzar, señor Ned —dijo el capitán Nemo.

—Y Consejo, ¿va a correr esos riesgos? —preguntó Ned.

—Yo sigo a mi señor a todas partes donde él vaya —respondió Consejo.

Llamó entonces el capitán, y se presentaron dos hombres de la tripulación para ayudarnos a vestir aquellos pesados trajes impermeables, hechos de caucho, sin costuras y preparados de tal manera que pueden soportar considerables presiones. Se hubiera dicho que era una armadura a la vez elástica y resistente. Aquellos vestidos formaban pantalón y chaqueta unidos, terminando el pantalón con unas botas muy fuertes, guarnecidas de pesadas suelas de plomo. El tejido de la chaqueta estaba recubierto de laminillas de cobre, que formaban en el pecho una coraza, defendiéndole contra la presión de las aguas y dejando que los pulmones funcionaran con libertad, terminando las mangas en forma de guantes que permitían todos los movimientos de la mano (1).

Mucha distancia había, como se ve, de estas escafandras perfeccionadas a los trajes informes, como corazas de corcho sobre blusas, cofres, etcétera, que fueron inventados y preconizados en el siglo XVIII.

El capitán Nemo, uno de sus compañeros —especie de Hércules, que debía tener una fuerza prodigiosa—, Consejo y yo, nos encajamos perfectamente aquellos trajes de escafandra. Ya no se trataba más que de encerrar nuestra cabeza en la esfera metálica; pero antes de proceder a esta operación, pedí permiso al capitán para examinar las escopetas que nos estaban destinadas.

Uno de los hombres del *Nautilus* me presentó una escopeta sencilla, cuya culata de planchas de acero y hueca en el interior, era bastante grande; servía de receptáculo al aire comprimido, que salía por una válvula, regida por una palanqueta, al cañón de metal. Una cajita de proyectiles, vaciada también en el espesor de la culata, encerraba unas veinte balas eléctricas, que por medio de un resorte, se colocaban automáticamente en la recámara de la escopeta. Hecho un disparo, todo quedaba preparado para otro.

—Capitán Nemo —le dije—, esta arma es perfecta y se maneja fácilmente. Estoy deseando ensayarla; y lo que importa es saber cómo llegaremos al fondo del mar.

—En este momento, señor profesor, el *Nautilus* se halla a diez metros de profundidad y vamos a partir.

—Pero ¿cómo saldremos?

—Ahora lo veréis.

El capitán Nemo introdujo su cabeza en el casquete esférico; Consejo y yo hicimos otro tanto, des-

(1) Quienes hayan visitado la Exposición Universal de 1867, habrán podido observar un gran aparato lleno de agua que, con el nombre de acuario humano, se exhibía al público, demostrando con ello la eficacia de las escafandras para poder andar sin peligro dentro del elemento líquido. *(Nota del traductor de la primera edición española.)*

pués de haber oído al canadiense que se despedía de nosotros, diciendo irónicamente:

— ¡Buena caza!

En lo alto de nuestro traje, en la parte del cuello, había una especie de collar de cobre, agujereado, al cual se atornillaba el casco de metal. Tres agujeros, protegidos por espesos cristales, permitían ver en todas direcciones, volviendo la cabeza en el interior de aquella esfera. Así que estuvo situada en su puesto, los aparatos Rouquayrol, colocados en nuestra espalda, comenzaron a funcionar; y por mi parte, puedo asegurar que respiraba perfectamente. La lámpara Ruhmkorff suspendida a mi cintura y la escopeta en la mano, estaba dispuesto a la marcha, pero aprisionado en aquel pesado traje y clavado al piso por aquellas suelas de plomo, sinceramente, me hubiera sido imposible dar un paso.

El caso estaba previsto, y conocí desde luego que me empujaban a un cuartito contiguo al vestuario. Mis compañeros, remolcados también igualmente, me seguían, y oí cómo una puerta provista de obturadores se cerraba tras de nosotros, quedándonos en la más completa oscuridad.

Algunos minutos después llegó a mis oídos un silbido muy vivo, y sentí cierta impresión de frío que me subía desde los pies al pecho. Evidentemente, desde el interior del buque se había dado entrada al agua exterior, que llenó muy pronto el cuarto en que nos encontrábamos. Otra puerta, abierta al costado del *Nautilus,* se abrió entonces. Un instante después hollaban nuestros pies el fondo del mar.

¿Y cómo podría yo ahora definir las impresiones que me produjo aquel paseo bajo las aguas? Las palabras son impotentes para expresar de una manera comprensible tales maravillas. Cuando el pincel mismo no podría dar idea exacta de los efectos particulares y propios del elemento líquido, ¿cómo habría la pluma de producirlos?

El capitán Nemo iba delante, siguiéndonos a alguna distancia su compañero. Consejo y yo íbamos uno al lado del otro, como si hubiéramos podido cambiar alguna palabra a través de nuestras caperuzas metálicas.

Nada me parecía ya pesado; ni mi ropa, ni mi calzado, ni mi receptáculo de aire, ni aquella gruesa esfera, en medio de la cual mi cabeza bailaba cual dentro de su cáscara la almendra. Todos esos objetos, sumergidos en el agua, perdían una parte de su peso igual al del líquido desalojado, y me iba muy bien con esta ley física, descubierta por Arquímedes. Ya no era yo una masa inerte, teniendo, por el contrario, una libertad de movimientos relativamente grande (1).

Me asombró por su intensidad la luz solar, cuyos rayos, rasgando fácilmente aquella masa líquida y disipando sus colores, iluminaban el fondo hasta treinta pies por debajo de la superficie del océano. A una distancia de cien metros, los objetos se distinguían claramente; más allá, los fondos se matizaban con delicadas degradaciones azúreas, que en lontananza se desvanecían en medio de una vaga oscuridad. Aquella agua que me rodeaba se asemejaba ciertamente a una especie de aire más denso que la atmósfera terrestre, pero casi tan diáfano como ella. Encima de mí divisábase la tranquila superficie del mar.

Caminábamos sobre un suelo de arena fina, liso, y no erizado como el de las playas, que conservan la huella de la resaca. Aquella alfombra resplandeciente reflejaba los rayos de' sol con sorprendente potencia, produciendo una reverberación de que todas las moléculas líquidas se hallaban penetradas. ¿Podrán ser creídas mis palabras al asegurar que en aquella profundidad de treinta pies se veía tan claro como al aire libre?

Durante un cuarto de hora anduve pisando una arena ardiente, sembrada de un impalpable polvo de conchas. El casco del *Nautilus*, perceptible como un largo escollo, se alejaba de nuestra vista paulatinamente, pero su fanal, cuando llegara la noche, debía facilitar nuestro regreso a bordo, proyectando sus rayos lumino-

(1) El cuerpo humano desaloja una cantidad de agua poco menor en peso que el suyo propio. De aquí esa facilidad de mantenerse sobre las aguas que tienen los nadadores. Ahora bien, como la escafandra aumenta el volumen del líquido desalojado aun cuando el aparato pesase en el aire tanto como la persona que le lleva, ésta andaría dentro de las aguas con más ligereza todavía que sin escafandra fuera de ellas.

sos con perfecta nitidez; efecto difícil de comprender para quien sólo en tierra ha visto esas ráfagas blanquecinas de la luz eléctrica tan vivamente pronunciadas. Allí, el polvo que fluctúa por la atmósfera les da la apariencia de una niebla luminosa; pero sobre el mar y dentro del mar, esos detalles se transmiten con incomparable pureza.

Entretanto, seguíamos andando, sin que la vista alcanzase, al parecer, los límites de aquella extensa llanura de arena. Yo apartaba con la mano las masas líquidas, que, abiertas a mi paso, se cerraban tras de mí, y la huella de mis plantas quedaba borrada por la presión del agua.

En seguida comenzó mi vista a distinguir algunas formas de objetos que se iban dibujando en lontananza, hasta que reconocí los primeros contornos de magníficas peñas, tapizadas con las mejores muestras de zoófitos, sorprendiéndome ante todo un efecto que especialmente se produce en aquellos parajes.

Eran las diez de la mañana. Los rayos solares herían la superficie de las aguas bajo un ángulo bastante oblicuo, y al contacto de su luz, descompuesta por la refracción, como a través de un prisma, flores, peñas, plantas, conchas, pólipos, se matizaban en sus bordes con los siete colores del iris. Aquel tejido de vivos reflejos y de variados tonos de luz era una maravilla, una fiesta para los ojos, un verdadero calidoscopio de verde, de amarillo, de anaranjado, de morado, de añil, de azul; en fin, toda la paleta de un fogoso pintor. ¡Cuánto sentía no poder transmitir a Consejo las vivas sensaciones que me subían al cerebro, y rivalizar con él en exclamaciones de admiración! Y ¡cuán penoso me era también no poder comunicar mis ideas por medio de signos convenidos, como lo hacían Nemo y su compañero! Por eso, y a falta de otra cosa mejor, hablaba conmigo mismo, y gritaba dentro de la esfera de latón que rodeaba mi cabeza, gastando quizás en vanas palabras más aire de lo que convenía.

Ante espectáculo tan espléndido, Consejo se había quedado parado como yo, siendo indudable que aquel digno mozo se entretenía en clasificar, como de costumbre, los zoófitos y moluscos que se le ofrecían a la vista.

Eran numerosos: las cornularias, que viven en aislamiento; las aglomeraciones de oculinas vírgenes, designadas antiguamente con el nombre de color blanco; las fungias, erizadas en forma de hongos, las anémonas, adherentes por su disco muscular, figuraban un cuadro de flores sembradas de porpitas adornadas con su gorguera de tentáculos azulados, de estrellas de mar, imitando constelaciones sobre la arena, y de asterofitonos verrugosos, finos encajes bordados por la mano de las náyades, y cuyos festones se mecían bajo las blandas ondulaciones provocadas por nuestros pasos. Experimentaba yo un profundo pesar al aplastar bajo mis plantas los brillantes ejemplares de moluscos que cubrían el suelo a millares: las pechinas concéntricas, los martillos, las donáceas, verdaderas conchas saltadoras, los trocos, los cascos rojos, los estrombos de ala de ángel, las asfisias y otros muchos productos del inagotable océano. Pero era necesario andar, y seguíamos adelante, mientras que por encima de nosotros nadaban tropeles de fisalias, dejando que sus azulados tentáculos flotasen a rastras; también bogaban medusas, cuyo parasol opalino o de color de rosa claro, festoneado con un listón azúreo, nos abrigaba de los rayos solares, y pelagias panópiras, que en la oscuridad hubieran derramado por nuestro camino brillos fosforescentes.

Todas esas maravillas contemplé en el espacio de un cuarto de milla, sin pararme nunca, y siguiendo al capitán Nemo, que me hacía señas para que anduviese. Más adelante la naturaleza del suelo se modificó. A la llanura de arena sucedió una capa de cieno viscoso, que los americanos llaman *oaze*. compuesto únicamente de conchas silíceas o calcáreas. Recorrimos después una pradera de algas, plantas pelagianas que las aguas no habían arrancado todavía, y cuya vegetación era muy frondosa. Aquel césped, de tejido menudo y suave bajo el pie, hubiera rivalizado con las alfombras más blandas, labradas por la mano de los hombres. Y al mismo tiempo que el verdor se desplegaba por donde pisábamos, no nos abandonaba tampoco por encima de nosotros. Cruzábase en la superficie de las aguas un ligero dosel de plantas marinas, clasificadas en esa exuberante familia de las algas, de la cual se conocen más de dos mil especies. Yo veía ondular largas cintas de fucos, globulosos unos, tubulados otros; laurencias, cladóstefas de delicada hoja, rodímenos palmeados, semejantes a abanicos de cactos. Observé que las plantas verdes se mantenían más cerca de la superficie del mar, mientras que las encarnadas ocupaban una profundidad media, dejando que las hidrolitas negras o pardas formasen los jardines y cuadros de las capas más remotas del océano.

Esas algas son ciertamente un prodigio de la Creación, una de las maravillas de la flora universal. Esta familia produce a la vez los más pequeños y los mayores vegetales del Globo; pues así como se han contado cuarenta mil plantitas de esas en el espacio de cinco milímetros superficiales, así también se han recogido fucos cuya longitud pasaba de quinientos metros.

Como cosa de hora y media había transcurrido desde nuestra salida del *Nautilus*, y eran cerca de las doce, como lo indicaba la perpendicularidad de los rayos solares, que ya no se refractaban. La manga de los colores fue desapareciendo, y los matices de la esmeralda y del zafiro se borraron de nuestro firmamento. Los ruidos más insignificantes se transmitían con una velocidad a la cual no está acostumbrado el oído en tierra; y es porque mejor vehículo que el aire para el sonido es el agua, en el cual se propaga con cuádruple rapidez.

En aquel momento el piso fue descendiendo con pronunciado declive, y la luz adquirió un matiz uniforme. Llegamos a una profundidad de cien metros, bajo una presión de diez atmósferas, que, sin embargo, no me molestaba a causa de las buenas condiciones con que estaba construida mi escafandra. Solamente sentía cierta incomodidad en las articulaciones de los dedos, que tampoco tardó en desaparecer. En cuanto al cansancio que este paseo de dos horas debía producirme, bajo un ropaje a que no estaba acostumbrado, era nulo, porque mis movimientos, ayudados por el agua, se efectuaban con sorprendente facilidad.

Llegado a esta profundidad de trescientos cincuenta pies, yo percibía aun los rayos solares, pero débilmente. A su brillo intenso había sucedido un crepúsculo rojizo, término medio entre el día y la noche. Veíamos, sin embargo, lo suficiente para guiarnos sin que fuera todavía necesario poner en actividad los aparatos Ruhmkorff.

Detúvose entonces el capitán Nemo, y aguardando que le hubiese alcanzado, me enseñó con el dedo algunas masas oscuras que se vislumbraban a corta distancia entre la sombra.

Se me ocurrió que aquella sería la selva de la isla de Crespo, y no me equivoqué.

CAPÍTULO XVII

UNA SELVA SUBMARINA

HABÍAMOS llegado por fin a los lindes de aquella selva, una de las más bellas, sin duda, del inmenso dominio del capitán Nemo. La consideraba como suya, atribuyéndose sobre ella los mismos derechos que los primeros hombres tuvieron durante la época primitiva del mundo. ¿Quién le hubiera disputado, por otra parte, la posesión de aquella propiedad submarina? ¿Quién otro, más audaz que él, hubiera venido con hacha en mano a desmontar aquellas umbrosas espesuras?

Componíase la selva de grandes plantas y tan pronto como hubimos penetrado entre ellas, llamó la atención de mis miradas una singular disposición de las ramificaciones; disposición que yo no había observado hasta entonces.

Ninguna de las hierbas que alfombraban el suelo, ninguna de las ramas que brotaban de los arbustos se enredaba, ni se encorvaba, ni se extendía en sentido horizontal. Todas subían hacia la superficie del océano. No había filamentos, ni hojas a manera de cinta, por delgadas que fuesen, que no se mantuviesen en posición recta, como varillas de hierro. Los fucos y los bejucos se desarrollaban en línea rígida y perpendicular, determinada por la densidad del elemento donde habían nacido. Inmóviles, por otra parte, aquellas plantas, cuando yo las apartaba con la mano, recobraban en seguida su posición primitiva. Aquel era el reino de la verticalidad.

No tardé en acostumbrarme a tan extraña disposición, así como a la oscuridad relativa que nos envolvía. El suelo de la selva estaba sembrado de cantos agudos, difíciles de evitar. La flora submarina me pareció bastante completa, y más rica todavía que lo hubiera sido bajo las zonas árticas o tropicales donde sus productos son menos numerosos. Pero durante algunos minutos confundí involuntariamente los reinos entre sí, equivocando los zoófitos con las hidrófitas, y los animales con las plantas. Y ¿quién no se hubiera engañado? ¡La fauna y la flora se tocan tan de cerca en el mundo submarino!

Observé que todas aquellas producciones del reino vegetal no estaban adheridas al suelo sino por una especie de basamento superficial. Desprovistas de raíces, indiferentes a todo cuerpo sólido, arena, concha o guijarro que las sostiene, le piden tan sólo un punto de apoyo, pero ninguna vitalidad. Estas plantas no proceden sino de sí mismas, y el principio de su existencia está en el agua que las mantiene y nutre. La mayor parte tenían, en vez de hojas, unas tiras de formas caprichosas, circunscritas en una corta gradación de colores, el rosado, el carmín, el verde, el aceitunado y el pardo. Volví a ver, pero no ya desecadas, como las muestras del *Nautilus,* las padinas o colas de pavo, desplegadas en abanico, que parecían solicitar la brisa; las ceramias de color escarlata; las laminarias, alargando sus tiernos retoños comestibles; las nereocísteas filiformes y fluxuosas, que se abrían a una altura de quince metros; ramilletes de acetábulos, cuyos tallos crecen por el vértice, y muchas otras plantas pelagianas, todas desprovistas de flores. "¡Curiosa anomalía, extraño elemento, ha dicho un ingenioso naturalista, donde el reino animal florece, y donde el vegetal no produce flores!"

Entre aquellos diferentes arbustos, grandes como los árboles de nuestras zonas templadas, y bajo su húmeda sombra, se agrupaban verdaderos zarzales de flores vivas; setos de zoófitos, sobre los cuales se abrían las meandrinas, listadas de surcos sinuosos; las cariofíleas amarillentas de tentáculos diáfanos; las aglomeraciones de zaantarios, semejantes al cércep; y para completar la ilusión, los peces-moscas revoloteaban de rama en rama como un enjambre de colibrís, mientras que los amarillos lapisecantos, de mandíbula erizada y escamas agudas, los dactilópteros y los monocentros se levantaban bajo nuestros pasos como un tropel de gallinetas.

Hacia la una el capitán Nemo dio la señal de alto, lo cual me satisfizo bastante, y nos tendimos bajo un dosel de alárieas, cuyas largas tirillas adelgazadas se levantaban como saetas.

Me pareció delicioso este instante de reposo, no faltándonos más que el encanto de la conversación; pero era imposible hablar ni responder. Me limité tan sólo a acercar mi gran cabeza de latón a la de Consejo, y vi los ojos de este buen muchacho brillar de contento. En señal de satisfacción se agitó en su escafandra del modo más cómico del mundo.

Después de cuatro horas de semejante paseo, me sorprendió mucho el no sentir unas violentas ganas de comer. Yo no puedo decir en qué consistía esta disposición del estómago; pero en cambio experimentaba un insuperable deseo de dormir, como suele sucederles a todos los buzos. Por eso mis ojos se cerraron muy pronto bajo el espeso cristal, y caí en una invencible soñolencia, que sólo el movimiento de la marcha había podido contener hasta entonces. El capitán Nemo y su robusto compañero, extendidos en medio de aquella agua cristalina nos daban el ejemplo para dormir.

No me es posible calcular el tiempo que estuve sumido en aquel profundo sopor; pero cuando me desperté, me pareció que el sol descendía hacia el horizonte. El capitán Nemo estaba ya despierto, y comencé a desperezarme, cuando una aparición inesperada me hizo poner súbitamente de pie.

A algunos pasos, una monstruosa araña de mar, alta de un metro, me miraba con sus ojos atravesados, pronta a arrojarse sobre mí. Aunque mi escafandra fuese bastante gruesa para defenderme de las mordeduras del animal, no pude reprimir un movimiento de horror. Consejo y el marinero del *Nautilus* se despertaron entonces. El capitán Nemo enseñó el asqueroso animal a su compañero, quien le asestó con la escopeta un violento culatazo, y pronto vi las horribles patas del monstruo retorcerse en convulsiones terribles.

Este encuentro me hizo pensar que otros animales más temibles debían frecuentar aquellos fondos oscuros, y que mi escafandra no me protegería contra sus ataques. No me había ocurrido esto hasta entonces, y resolví permanecer alerta. Suponía yo además que aquel descanso indicaba el término de nuestro paseo, pero me equivocaba, porque al contrario, en vez de regresar al *Nautilus,* el capitán Nemo prosiguió su atrevida expedición.

El suelo seguía deprimiéndose; y su pendiente, siendo cada vez más pronunciada, nos condujo a mayores profundidades. Debían ser aproximadamente las tres, cuando llegamos a un estrecho valle, abierto entre altas paredes verticales, y situado a ciento cincuenta metros de fondo. Gracias a la perfección de nuestros aparatos, sobrepujábamos en noventa metros el límite que la naturaleza había impuesto hasta entonces a las excursiones submarinas del hombre.

Digo ciento cincuenta metros, aunque ningún instrumento me permitía evaluar esta distancia; pero yo sabía que, aun en los mares más límpidos, los rayos solares no pueden penetrar más allá. Y precisamente la oscuridad se hizo profunda, no siendo visible a diez pasos objeto alguno. Yo andaba a tientas, cuando vi brillar de repente una luz blanca y bastante viva. El capitán Nemo acababa de poner en actividad un aparato eléctrico, imitándole luego su compañero. Consejo y yo seguimos este ejemplo, para lo cual establecí, por medio de un tornillo, la comunicación entre la bobina y el serpentín de cristal: el mar entonces, alumbrado por nuestras cuatro linternas, se iluminó en un radio de veinticinco metros.

El capitán Nemo continuó penetrando en las oscuras profundidades de la selva, cuyos arbustos se iban aclarando cada vez más. Observé que la vida vegetal desaparecía más pronto que la animal. Las plantas pelagianas abandonaban aquel suelo, que para ellas se tornaba árido, en tanto que pululaba todavía por allí un número prodigioso de animales, zoófitos, articulados, moluscos y peces.

Mientras seguíamos andando, se me ocurrió que la luz de nuestros aparatos Ruhmkorff debían atraer necesariamente a algunos habitantes de aquellas capas sombrías; pero no se acercaban a bastante distancia para el alcance de unos cazadores. Varias veces se detuvo el capitán Nemo para echarse la escopeta a la cara; pero, después de estar apuntando durante algunos momentos, la bajaba para continuar su marcha.

Por último, esta maravillosa excursión concluyó hacia las cuatro, viéndonos detenidos por un muro de soberbios peñascos, masa imponente, amontonamiento de gigantescas rocas, enorme acantilado de granito, lleno de grutas oscuras, pero que no ofrecía ninguna subida practicable.

Eran los cantiles (1) de la isla de Crespo. Era la tierra.

Detúvose de pronto el capitán Nemo, dándonos la señal de alto; y, por más deseos que tuviera yo de trepar por aquella muralla, no pude hacer otra cosa que pararme. Allí terminaban los dominios de nuestro jefe. No quería trasponerlos. Más allá existía esa porción del Globo que no debía volver a pisar con su planta.

Nuestro regreso comenzó. El capitán Nemo se había puesto de nuevo al frente de su pequeña comitiva, dirigiéndose siempre sin vacilar. Me pareció que no seguíamos el mismo rumbo para volver al *Nautilus*. El nuevo camino, muy pendiente, y por consiguiente penosísimo, nos acercó con rapidez a la superficie del mar. Sin embargo, este regreso a las capas superiores no fue tan súbito que pudiera causar un decrecimiento de presión demasiado rápido, porque esto hubiera podido ocasionar desórdenes graves en nuestro organismo, determinando ciertas lesiones internas, que tan fatales son para los buzos. Más tarde reapareció y creció la luz del día; y como el sol estaba ya bajo en el horizonte, la refracción volvió a teñir con irisado anillo los contornos de los objetos.

(1) En la costa brava que desde el fondo del mar está cortado más o menos verticalmente, así como se llaman veriles las orillas de los bajos o placeres.

A diez metros de profundidad, caminábamos entre un enjambre de pececitos de toda especie, más numerosos que las aves en el aire, más ágiles también; pero ninguna caza acuática, digna de recibir un tiro, se había ofrecido a nuestra vista.

En aquel momento noté que el capitán Nemo seguía con la escopeta apuntada a algún objeto que se movía entre los zarzales. El tiro salió, escuché un débil silbido, y un animal cayó herido de muerte a algunos pasos.

Era una magnífica nutria de mar, único cuadrúpedo que sea exclusivamente marino. Tenía metro y medio de longitud, y debía ser de gran precio, porque su piel, de color pardo oscuro por el lomo y plateada por debajo, constituye una de esas pellejas tan solicitadas en los mercados rusos y chinos, asegurándole lo lustroso y delicado de su pelo un valor por lo menos de dos mil pesetas. Mucho admiré aquel curioso mamífero, de cabeza redondeada, orejas cortas, ojos circulares, bigotes blancos y semejantes a los del gato, pies palmeados y con uñas y rabo peludo. Este precioso carnívoro, cazado y perseguido por los pescadores, es cada día más raro, habiéndose refugiado principalmente en las porciones boreales del Pacífico, donde probablemente no tardará en extinguirse su especie.

El compañero del capitán Nemo cargó la nutria sobre sus hombros, y volvimos a emprender nuestro camino.

Durante una hora, se desarrolló bajo nuestras plantas una llanura arenisca, cuyo suelo se elevaba con frecuencia a menos de dos metros de la superficie del mar. Entonces vi nuestras imágenes, claramente reflejadas sobre esta superficie cual en un espejo, aparecer en sentido inverso, reproduciendo nuestros movimientos y nuestros ademanes con toda claridad, pero con la diferencia de andar con la cabeza hacia abajo y los pies para arriba.

El espesor variable de las grandes olas del fondo causaba sobre la misma superficie otro efecto muy notable, a saber: la apariencia de espesas nubes que se formaban y desvanecían rápidamente, advirtiéndose hasta el espumoso y blanco cabrilleo que al quebrarse producían. También se divisaba el paso veloz de las sombras que las grandes aves proyectaban en las aguas al pasar sobre nosotros.

En esta ocasión fui testigo de uno de los mejores tiros que hayan podido conmover las fibras de un cazador. Una ave corpulenta, de alas anchurosas, perfectamente visible, se acercaba, cerniéndose, hasta que llegada a algunos metros sobre las aguas, el compañero del capitán Nemo apuntó y disparó. Cayó el animal herido de muerte, viniendo a parar en su descenso al alcance del diestro cazador. Era un albatros de la más bella especie, admirable ejemplar de las aves pelagianas.

Nuestra marcha no se interrumpió con este incidente, y por espacio de dos horas estuvimos recorriendo, ora unas llanuras areniscas, ora unas praderas de fucus de muy penoso andar. Francamente, ya no podía conmigo, cuando advertí que cierto brillo interrumpía la oscuridad de las aguas a media milla de distancia. Era el fanal del *Nautilus*. Antes de veinte minutos debíamos estar a bordo para respirar con holgura, porque parecíame ya que mi receptáculo no suministraba más que un aire muy pobre de oxígeno; pero yo no contaba con un encuentro que atrasó algún tanto nuestro regreso.

Me había quedado rezagado a unos veinte pasos, cuando vi que el capitán Nemo se volvía bruscamente hacia mí. Con mano vigorosa me echó al suelo, mientras que su compañero hacía otro tanto con Consejo. No supe qué pensar de pronto ante tan inesperada acometida; pero me tranquilicé al observar que el capitán se echaba también cerca de mí y se mantenía quieto.

Me hallaba, pues, echado sobre el fondo y abrigado precisamente por una zarza de fucus, cuando al levantar la cabeza, divisé unas enormes masas que pasaban ruidosamente despidiendo resplandores fosforescentes.

Mi sangre se heló en las venas. Había reconocido que nos veíamos amenazados por unos formidables escualos. Eran un par de tintoreras, terribles tiburones de cola enorme, mirada apagada y vidriosa, que despedían cierta materia fosfórica por unos orificios que tienen alrededor del hocico. Aquellos animales son unas fieras monstruosas, que trituran a un hombre entero entre sus mandíbulas de hierro. Yo no sé si Consejo se entretenía en clasificarlos; mas, por lo que a mí me tocaba, el plateado abdomen y la formidable boca, erizada de dientes, de tan temibles peces, fueron para mí observados bajo un punto de vista bien poco científico, y más bien como víctimas que como naturalistas.

Afortunadamente, estos voraces animales tienen poca vista, y pasaron sin distinguirnos, rozándonos con sus nadaderas parduzcas, y escapando así nosotros como por milagro de aquel peligro, mayor seguramente que el encuentro del tigre en medio de una selva.

Media hora después, guiados por la ráfaga eléctrica, alcanzamos el *Nautilus*. La puerta exterior había quedado abierta, y el capitán Nemo la cerró tan pronto como estuvimos en la primera celda. Después apretó un botón, sentí maniobrar las bombas dentro del barco, y disminuir el agua alrededor de mí. En algunos instantes quedó vaciada aquella cámara; se abrió la puerta interior y entramos en el vestuario.

Aquí nos despojamos, no sin trabajo, de nuestras escafandras; y muy molido yo, y rendido de hambre y de sueño, me dirigí a mi cámara, aunque maravillado todavía de aquella sorprendente excursión al fondo de los mares.

CAPÍTULO XVIII

CUATRO MIL LEGUAS DENTRO DEL PACÍFICO

El siguiente día, 18 de noviembre, ya estaba perfectamente repuesto de mis fatigas de la víspera, y subí a la plataforma en el momento en que el segundo del *Nautilus* pronunciaba su frase cotidiana. Me ocurrió entonces que las enigmáticas palabras se referían al estado del mar, o que más bien significaban: "Nada tenemos a la vista."

Y, en efecto, el océano estaba desierto. Ni una vela se divisaba en el horizonte. Las alturas de la isla de Crespo habían desaparecido durante la noche. El mar, absorbiendo los colores del prisma, a excepción de los azules, reflejaba estos últimos en todas direcciones, revistiéndose con un admirable matiz de añil. Sobre las olas ondulosas se dibujaban con toda regularidad unas anchas rayas de tornasolado aspecto.

Estaba yo admirando efectos tan magníficos, cuando el capitán Nemo apareció. No advirtió, al parecer, mi presencia, comenzó una serie de observaciones astronómicas. Terminada su operación, se apoyó de codos sobre la barandilla del fanal, perdiéndose sus miradas en la superficie del océano.

Entretanto, unos veinte marineros del *Nautilus*, gente toda muy vigorosa y bien constituida, habían subido sobre la plataforma. Venían a retirar las redes, que se habían dejado a la rastra durante la noche. Era evidente que aquellos marineros pertenecían a diferentes naciones, aunque en todos ellos estaba indicado el tipo europeo. Reconocí, sin equivocarme, algunos irlandeses, franceses, eslavos y un griego o candiota. Por lo demás, eran sobrios de palabras, y empleaban el extraño lenguaje cuyo origen no podía comprender, debiendo renunciar, por estos motivos, a hacerles pregunta ninguna.

Se izaron las redes a bordo. Eran una especie de barreras, semejantes a las empleadas en las costas de Normandía, a modo de bolsas entreabiertas por medio de una verga flotante y una cadena pasada por las mallas inferiores. Estas bolsas, así arrastradas sobre sus armaduras de hierro, barrían el fondo del océano y recogían todos sus productos. Aquel día contenían curiosos ejemplares de aquellos sitios abundantes en pesca, tales como lofias, llamadas también histriones por sus movimientos cómicos, y en lenguaje vulgar balderayas, balistes ondulados, rodeados de cintillas encarnadas; tetrodontes cuadrantes u orbes, cuyo veneno es sutilísimo; algunas lampreas de color aceitunado; macrorincos, cubiertos de escamas plateadas; triquiuros, cuya fuerza eléctrica es igual a la del gimnoto y de la tremielga; notópteros escamosos, de fajas pardas transversales; gados verdosos; diferentes variedades de gubios; y, por último, algunos peces de proporciones más grandes; una caranga de cabeza prominente, larga de un metro; varios y hermosos escombros; boní-

talos, recamados de azul y plata, y tres magníficos atunes, que a pesar de lo rápido de su marcha, no habían podido salvarse de la red.

Calculé que esta pesca ascendía a más de mil libras, lo cual, aunque satisfactorio, no era sorprendente, porque, estando las redes a la rastra durante varias horas, recogen en su prisión de cuerdas todo un mundo acuático. No debíamos, pues, carecer de víveres de excelente calidad, que la rapidez del *Nautilus* y la atracción de su luz eléctrica podían incesantemente renovar.

Estos diversos productos del mar fueron inmediatamente metidos por el escotillón para ser conducidos a la despensa, estando los unos destinados a ser comidos frescos y los otros a ser conservados.

Terminada la pesca y renovada la provisión de aire, creí que el *Nautilus* iba a seguir su excursión submarina; y me preparaba a regresar a mi cámara cuando el capitán Nemo, volviéndose hacia mí, me dijo sin preámbulo alguno:

—Ved ese océano, señor profesor. ¿No le consideráis dotado de una vida real? ¿No tiene sus iras y sus ternuras también? Ayer se durmió como nosotros, y ahora se despierta, después de una apacible noche.

Esto me lo dijo sin darme los buenos días, y como si aquel extraño personaje hubiese continuado conmigo una conversación antes comenzada.

—Mirad —prosiguió—: ya se despierta ante las caricias del sol. Va a revivir con su existencia diurna. Estudio interesante es el de seguir el juego de su organismo. Posee un pulso y arterias; tiene espasmos, y doy la razón al sabio Maury, que descubrió en él una circulación tan positiva como la circulación sanguínea de los animales.

Es seguro que el capitán Nemo no aguardaba de mí contestación alguna, pareciéndome inútil prodigarle las respuestas de cajón siguiente: "Efectivamente..." "Cierto..." "Es verdad..." "Tenéis razón..." Hablaba más bien consigo mismo, tomándose tiempo entre frase y frase. Era una meditación en alta voz.

—Sí —añadió—, el océano posee una verdadera circulación, y, para provocarla, le ha bastado al Creador multiplicar aquí el calórico, la sal y los animalillos.

El calórico crea, en efecto, densidades diferentes, que producen las corrientes y contracorrientes. La evaporación, nula en las regiones hiperbóreas, muy activa en las zonas ecuatoriales, constituye un cambio permanente de las aguas tropicales con las polares. Además, he sorprendido esas corrientes de arriba abajo y de abajo arriba que forman la verdadera respiración del océano. He visto cómo la molécula de agua de mar, calentada en la superficie, bajaba a las profundidades, alcanzaba su máximo de densidad a los dos grados bajo cero, y cómo luego, haciéndose más ligera por el enfriamiento, volvía a subir. Veréis en los polos las consecuencias de este fenómeno, y comprenderéis por qué con esa ley de la Naturaleza previsora, la congelación no aparece nunca sino en la superficie de las aguas.

Mientras el capitán Nemo terminaba su frase, yo decía para mí:

—¡El polo! ¡Si se le ocurrirá llevarnos hasta allí!

Entretanto, el capitán había callado y contemplaba aquel elemento, tan completa e incesantemente estudiado por él. Luego prosiguió:

—Las sales se encuentran en considerable cantidad en el mar, señor profesor; y si las eliminarais de su disolución, formarían una masa de cuatro millones y medio de leguas cúbicas la cual, extendida sobre el Globo, constituiría una capa de diez metros de altura (1). Y no creáis que la presencia de estas sales sea

(1) En estos cálculos ha debido padecerse en la edición francesa alguna equivocación, probablemente al poner en letra los números que estarían escritos con guarismos en el original del autor. En efecto, a una masa de cuatro millones y medio de leguas cúbicas, extendida en la superficie del Globo por igual, no corresponde una altura de diez metros, sino de más de seiscientos.

Por otra parte, si la masa total de agua, según el párrafo primero del Capítulo XIV, formaría una esfera de sesenta leguas de diámetro, el volumen de una esfera así es de ciento trece mil cuarenta leguas cúbicas, y, por consiguiente, mal pueden caber en este número cuatro millones y medio de leguas cúbicas de sales marinas.

Es que hay, tanto en el capítulo citado, como aquí, alguna equivocación que vamos a rectificar.

La cifra de tres millones ochocientos treinta y dos mil quinientos cincuenta y ocho miriámetros cuadrados, asignada en el Capítulo XIV para la superficie ocupada por las aguas del Globo, debida a un simple capricho de la Naturaleza, no; porque así las aguas marinas son menos susceptibles de ser convertidas por los vientos en vapores, los cuales, desprendidos en demasía, inundarían, al condensarse, las zonas templadas. ¡Tarea inmensa, tarea de conciliación encomendada al océano en la economía general del Globo!

El capitán Nemo se detuvo; se levantó, dio algunos pasos sobre la plataforma y se volvió hacia mí, diciendo:

— En cuanto a los infusorios, a esa infinita multitud de animalillos que existen a millares de millones en una gotita de agua, y de los cuales se necesitan ochocientos mil para pesar un miligramo, no es menos importante el papel que desempeñan. Absorben las sales marinas, se asimilan los elementos sólidos del agua, y, cual verdaderos constructores de continentes calizos, fabrican corales y madréporas. Y entonces la gota de agua, privada de su alimento mineral, se aligera, sube a la superficie, absorbe allí las sales abandonadas por la evaporación, se vuelve pesada, desciende de nuevo y lleva a los animalillos otros elementos que absorber. ¡De aquí una doble corriente ascendente y descendente, y siempre el movimiento, y siempre la vida! ¡La vida, más intensa que en los continen-

es aceptable. Partiendo de esta base, debe decir en el referido capítulo treinta y ocho millares de millones de hectáreas, en vez de treinta y ocho millones; porque cada miriámetro superficial tiene diez mil hectáreas.

Si la profundidad media de las aguas del mar es de siete kilómetros, la masa total de agua subirá un volumen de dos mil seiscientos ochenta y dos millones ochocientos mil seiscientos kilómetros cúbicos, lo cual equivale a una esfera de mil trescientas ochenta y ocho leguas francesas, en vez de las sesenta allí asignadas.

Ahora bien; sacando la equivalencia de kilómetros cúbicos con leguas francesas cúbicas de veinticinco al grado, la masa de agua marina mide más de treinta millones de leguas cúbicas. Para que esta masa contenga cuatro millones y medio de leguas cúbicas de sales, sería preciso que la proporción de éstas fuese de quince por ciento, lo cual creemos exagerado. Pero, aun cuando el volumen de las sales contenidas en el mar no fuese más que de un millón de leguas cúbicas, esta masa, extendida por igual en toda la superficie del Globo, constituirá una capa de unos ciento cincuenta metros de altura, en vez de los diez metros indicados.

tes, más exuberante, más infinita, ostentándose en todas las partes de ese océano, elemento de muerte para el hombre, según dicen, elemento de existencia para una infinidad de animales, ¡y para mí!

Cuando el capitán Nemo hablaba de esta suerte se transfiguraba, y provocaba en mí una gran emoción.

—Así, pues —añadí—, ¡aquí está la verdadera existencia! Y yo concebiría la fundación de ciudades náuticas y aglomeraciones de casas submarinas que, como el *Nautilus,* viniesen a respirar cada mañana a la superficie de los mares; ciudades libres e independientes. ¡Y quién sabe si aun así algún déspota...!

El capitán Nemo terminó su frase con un ademán violento. Y luego, encarándose directamente conmigo, como para alejar un pensamiento funesto, me preguntó:

—Señor Aronnax: ¿sabéis cuál es la profundidad de los mares?

—Sé al menos, capitán, lo que nos han señalado los principales braceajes.

—¿Podríais citármelos, a fin de comprobarlos?

—He aquí algunos —le respondí— que me vienen a la memoria. Si no me equivoco, se ha encontrado una profundidad media de ocho mil doscientos metros en el Atlántico septentrional, y dos mil quinientos metros en el Mediterráneo. Los braceajes más notables se han practicado en el Atlántico meridional cerca de los treinta y cinco grados, y han dado doce mil metros, catorce mil noventa y un metros, y quince mil ciento cuarenta y nueve metros. En suma, se calcula que, si el fondo del mar estuviese nivelado, la profundidad media sería de unos siete kilómetros.

—Bien, señor profesor —respondió el capitán Nemo—; espero, sin embargo, que os daremos mejores lecciones. En cuanto a la profundidad media de esta parte del Pacífico, os demostraré que sólo es de cuatro mil metros.

Dicho esto, el capitán Nemo se dirigió hacia la escotilla y desapareció por la escalera. Le seguí, y llegué al gran salón. La hélice se puso al punto en movimiento, y la corredera indicó una velocidad de veinte millas por hora.

Durante los días y las semanas que después transcurrieron, el capitán Nemo fue muy sobrio de visitas. No le vi sino muy de tarde en tarde. Su segundo era quien marcaba regularmente el punto que yo hallaba señalado en la carta de marear, de tal modo, que yo podía fijar exactamente el rumbo del *Nautilus.*

Consejo y Land pasaban conmigo largos ratos. Aquél había referido a su amigo las maravillas de nuestro paseo, y el canadiense sentía no habernos acompañado. Pero yo aguardaba que la ocasión de visitar las selvas marítimas volvería a presentarse.

Casi todos los días, durante algunas horas, las ventanas del salón se abrían, y nuestros ojos no se cansaban de penetrar los misterios del mundo submarino.

La dirección general del *Nautilus* era el Sudeste, y se mantenía entre ciento y ciento cincuenta metros de profundidad. Un día, sin embargo, no sé por qué capricho, arrastrado diagonalmente por medio de sus planos inclinados, alcanzó las capas de agua situadas a dos mil metros. El termómetro indicaba una temperatura de 4°; temperatura que a dicha profundidad parece común a todas las latitudes.

El 26 de noviembre, a las tres de la mañana, el *Nautilus* traspuso el trópico de Cáncer, a los 172° de longitud. El día 27 pasó a la vista de las islas Sandwich, donde el ilustre Cook encontró la muerte el 24 de febrero de 1779. Habíamos andado entonces cuatro mil ochocientas setenta leguas desde nuestro punto de partida. Por la mañana, cuando llegué a la plataforma, apercibí a dos millas por sotavento la isla de Haouai, la más considerable de las siete que forman el archipiélago. Distinguí con claridad su orilla cultivada las diversas cadenas de montañas que corren paralelas a la costa, y sus volcanes, dominados por el Mouna-Rea, elevado cinco mil metros sobre el nivel del mar. Entre otros ejemplares de aquellos parajes, las redes trajeron unas flabelarias pavoneadas, pólipos comprimidos de forma graciosa, y que son peculiares a esta parte del océano.

La dirección del *Nautilus* se mantuvo al Sudeste. Cortó el Ecuador el 1.° de diciembre, a los 142° de longitud y el 4 del mismo mes, después de una rápida travesía, no señalada por incidente alguno, tuvimos conocimiento del grupo de las Marquesas. Distinguí a tres millas a los 8° 57′ de latitud Sur, y 139° 32′ de longitud Oeste, la punta Martín de Nouka-Hiva, que es la principal de aquel grupo perteneciente a Francia. Tan sólo vi las montañas llenas de árboles que se dibujaban en el horizonte, porque el capitán Nemo no quería acercarse a tierra. Allí las redes trajeron bellas muestras de peces, entre los cuales había coríferos de nadaderas azuladas y cola de oro, cuya carne no tiene igual en el mundo; holigimnosos casi desprovistos de escamas, pero de exquisito sabor; ostrorincos de mandíbula ósea; tásaros amarillentos que valían tanto como el bonito; peces todos dignos de clasificarse en la cocina de a bordo.

Después de haber dejado atrás aquellas encantadoras islas, protegidas por el pabellón francés, el *Nautilus* recorrió todavía unas dos mil millas, desde el 4 al 14 de diciembre. Esta navegación fue señalada por el encuentro de un inmenso tropel de calamares, curiosos moluscos muy parecidos a la jibia. Pertenecen a la clase de los cefalópodos y a la familia de los diabranquios, que comprende la jibia y el argonauta. Estos animales fueron particularmente estudiados por los naturalistas de la antigüedad, y proporcionaban numerosas metáforas a los oradores del Agora, al propio tiempo que un plato excelente, a la mesa de los ricos ciudadanos, si debemos creer a Ateneo, médico griego que vivió antes que Galileo.

Durante la noche del 9 al 10 de diciembre, fue cuando el *Nautilus* encontró aquel ejército de moluscos, que son particularmente nocturnos. Podían contarse por millones. Emigraban de las zonas templadas hacia las cálidas, siguiendo el itinerario de los arenques y de las sardinas. Los mirábamos por entre los gruesos cristales de las ventanas, viéndolos nadar hacia atrás con extraordinaria rapidez, y moverse por medio de su tubo locomotor, persiguiendo a los peces y a los moluscos, comiéndose a los pequeños, siendo comidos de los grandes, y agitando en definible confusión los diez pies que la Naturaleza les ha implantado en la cabeza, como una cabellera de serpientes neumáticas. El *Nautilus,* a pesar de su velocidad, navegó durante algunas horas en medio de aquel tropel de animales, y sus redes capturaron gran cantidad de ellos, entre los cuales reconocí las nuevas especies que d'Orbigny ha clasificado para el océano Pacífico.

Como se ve, durante esta travesía el mar prodigaba sin cesar sus más bellos espectáculos, variándolos al infinito y cambiando su decoración y su escena para dar gusto a nuestros ojos. Parecía que estábamos llamados, no a contemplar las obras del Creador en medio del elemento líquido, sino también a penetrar los más temibles misterios del océano.

Durante la jornada del 11 de diciembre estaba yo ocupado en leer en el gran salón, mientras que Ned Land y Consejo observaban las aguas luminosas por las ventanas entreabiertas. El *Nautilus* estaba quieto. Llenos sus receptáculos, manteníase a una profundidad de mil metros, región de los mares poco habitada, y en la cual eran raras las apariciones de grandes peces.

En aquel momento estaba yo leyendo un libro encantador de Juan Macé, *Los servidores del estómago,* y saboreaba sus lecciones ingeniosas, cuando Consejo interrumpió mi lectura.

—¿Quiere el señor venir un instante por aquí? —me dijo con extraño acento.

—¿Qué ocurre, Consejo?

—Mire el señor.

Me levanté, fui a apoyarme de codos delante de la ventana y miré.

En plena luz eléctrica manteníase suspendida en medio de las aguas una enorme masa negruzca. La observé con atención, tratando de reconocer la naturaleza de ese gigantesco cetáceo: pero cruzó por mi mente una idea repentina.

—¡Un navío! —exclamé.

—¡Sí, señor! —respondió el canadiense—; un navío desamparado que se ha ido a pique.

Ned Land no se equivocaba. Estábamos en presencia de un buque, cuyos obenques cortados colgaban todavía de las bozas o cadenas. Su casco estaba al parecer en buen estado, y su naufragio llevaba muy pocas horas de fecha. Tres pedazos de mástiles partidos a dos pies por encima del puente, indicaban que aquel barco había tenido que sacrificar su arboladura; pero, caído sobre el costado, había hecho agua, y todavía estaba tumbado, dando la banda a babor. ¡Triste espectáculo el de aquel casco perdido entre las aguas; pero más triste aún la vista de su puente, donde yacían tendidos algunos cadáveres amarrados con cuerdas! Conté cuatro hombres en esta disposición; otro estaba de pie agarrado al timón, y había una mujer medio asomada por la lumbrera de la toldilla, y con un niño en los brazos. La luz proyectada por el *Nautilus* me permitió reconocer sus facciones, no descompuestas por el agua. Era joven; y haciendo un supremo esfuerzo, había levantado por encima de la cabeza a su niño, pobrecito ser cuyos brazos abrazaban el cuello de su madre. La actitud de los cuatro marinos me pareció espantosa, pues habían perecido, según toda probabilidad, entre movimientos convulsivos y haciendo esfuerzos por arrancarse las cuerdas que los tenían amarrados. El timonel demostraba más serenidad. Con semblante grave y tranquilo, sus cabellos canosos pegados a la frente, la mano crispada sobre la rueda del timón, parecía dirigir todavía el buque, perdido en las profundidades del océano.

¡Qué escena! ¡Estábamos mudos y con el corazón palpitante ante aquel naufragio, por decirlo así *in fraganti*, y fotografiado en su postrer minuto! Y veía yo avanzar unos enormes tiburones que con los ojos encendidos, acudían atraídos por aquel cebo de carne humana.

Entretanto el *Nautilus*, haciendo evoluciones, dio la vuelta alrededor del buque sumergido, y durante un momento pude leer sobre su espejo de popa lo siguiente:

Florida Sunderland

CAPÍTULO XIX

VANIKORO

Este espectáculo terrible inauguraba la serie de catástrofes marítimas que el *Nautilus* debía encontrar en su viaje. Desde que recorría los mares frecuentados solíamos a menudo hallar cascos de buques perdidos entre dos aguas, y a mayor profundidad cañones, áncoras, cadenas y otros mil objetos de hierro carcomidos por el orín.

Entretanto, arrastrados siempre por el *Nautilus,* donde vivíamos como aislados, tuvimos conocimiento el 11 de diciembre del archipiélago de Pomotú, antiguo "grupo peligroso" de Bougainville, que se extiende por un espacio de quinientas leguas de Sureste al Oeste-Noroeste, entre los 13° 30′ y 23° 50′ de latitud Sur, y 125° 30′ y 151° 30′ de longitud Oeste, desde la isla Bucia hasta la de Lazaref. Este archipiélago cubre una superficie de trescientas setenta leguas cuadradas, y está formado por unos sesenta grupos de islas, entre los cuales el más notable es el de Gambier, al cual ha impuesto Francia su protectorado. Estas islas son coralígenas, y una elevación lenta, pero continua, del fondo, provocada por el trabajo de los pólipos, las enlazará algún día entre sí, y la nueva isla se soldará más tarde con los archipiélagos vecinos, con lo cual se extenderá un quinto continente desde Nueva Zelanda y Nueva Caledonia hasta las islas Marquesas.

El día en que desarrollé esta teoría ante el capitán Nemo, me respondió con frialdad:

—No son continentes nuevos lo que hacen falta a la tierra, sino otros hombres.

Los azares de la navegación habían precisamente conducido al *Nautilus* hacia la isla de Clermont-Tonnerre, una de las más curiosas del grupo que fue descubierto en 1822 por el capitán Bell, de la *Minerva.*

Pude entonces estudiar el sistema madrepórico, a que son debidas las islas de aquel océano.

Las madréporas, que no deben confundirse con los corales, tienen un tejido revestido de una costra calcárea, y las modificaciones de su estructura han determinado a mi ilustre maestro Milne-Edwards a clasificarlas en cinco secciones. Los animalillos que secretan este pólipo viven por millares de millones en el fondo de sus celdas. Son sus depósitos calizos los que se tornan peñas, arrecifes, islotes, islas. Ora forman un anillo circular, con un pequeño lago interior, comunicando con el mar por algunas brechas; ora construyen unas barreras de arrecifes, semejantes a las que existen en las costas de Nueva Caledonia y de las diferentes islas de Pomotú. En otros parajes, como en la Reunión y la isla Mauricio, elevan unos arrecifes festoneados, altas murallas rectas, junto a las cuales las profundidades del océano son considerables.

Bordeando a pocos cables de distancia los cantiles de la isla de Clermont-Tonnerre, pude admirar la gigantesca obra efectuada por aquellos operarios microscópicos. Eran aquellas murallas obra especial de las madréporas, designadas con los nombres de miléporas, poritas, ástreas y meandrinas. Estos polípos se desarrollan particularmente en las capas agitadas de la superficie del mar, y por consiguiente comienzan por la parte superior sus construcciones, las cuales se hunden poco a poco con los despojos de secreciones que las sostienen. Tal es, al menos, la teoría de Darwin, que explica de esta suerte la formación de los atolones (1), teoría superior, a mi ver, a la que establece como base de los trabajos madrepóricos los vértices de las montañas o volcanes situados a pocos pies debajo del nivel del mar.

Pude observar muy de cerca aquellas curiosas murallas; porque, medidas a plomo, el escandallo acusaba más de trescientos metros de profundidad, y nuestras ráfagas eléctricas hacían resplandecer aquella brillante masa caliza.

(1) Son los islotes circulares que forman en su interior una especie de lago.

Respondiendo a una pregunta que me dirigió Consejo sobre la duración del acrecimiento de aquellas barreras colosales, le causé mucho asombro al decirle que los sabios fijaban este aumento en unas seis o siete pulgadas por siglo.

—¿Luego para elevar esas murallas, han sido necesarios...?

—Ciento noventa y dos mil años, mi buen Consejo; lo cual prolonga singularmente los días de la Biblia. Por otra parte, la formación del carbón de tierra, esto es, la mineralización de las selvas arrasadas por los diluvios, y el enfriamiento de las rocas basálticas, han exigido un tiempo mucho más considerable. Pero yo añadiré que los días bíblicos no son más que épocas, y no el intervalo que media entre dos salidas del sol; pues, según la Biblia misma, este astro no existía el primer día de la creación.

Cuando el *Nautilus* volvió a la superficie del océano, pude abrazar en todo su desarrollo la isla de Clermont-Tonnerre, baja y selvática. Sus rocas madrepóricas fueron seguramente fertilizadas por las mangas de agua y por las tempestades. Un día, alguna semilla, traída por el huracán de las tierras vecinas, cayó sobre las capas calizas, mezcladas con despojos descompuestos de peces y plantas marinas que formaron la tierra vegetal. Una nuez de coco, impelida por las olas llegó a esa nueva costa, y los gérmenes se arraigaron, y el árbol, al crecer, detuvo el vapor del agua, naciendo el arroyo. La vegetación fue poco a poco desarrollándose; y algunos animalillos, ciertos gusanos e insectos, vinieron sobre los troncos desarraigados de las islas inmediatas por el viento. Los pájaros anidaron en sus jóvenes árboles, y de este modo la vida animal se desarrolló y el hombre, atraído por el verdor y la fertilidad, apareció, sin que de otra suerte se formasen aquellas islas, obras inmensas de animales microscópicos.

Por la tarde, Clermont-Tonnerre desapareció en lontananza, y el *Nautilus* modificó su rumbo de un modo sensible. Después de haber tocado en el trópico de Capricornio a los 135° de longitud, se dirigió hacia el Oestenoroeste, remontando la zona tropical. Aunque el sol de verano prodigaba sus rayos, no sufríamos el calor, porque a treinta o cuarenta metros debajo del agua la temperatura no pasaba de diez o doce grados.

El 15 de diciembre dejábamos al Este el seductor archipiélago de la Sociedad y la graciosa isla de Tahití, reina del Pacífico. Divisé, por la mañana, algunas millas a sotavento, las elevadas cimas de esa isla. Sus aguas dieron para la mesa de a bordo excelentes peces, como caballas, bonitos, albicoros, y una variedad de serpientes de mar llamadas murenofis.

El *Nautilus* había recorrido ochocientas millas. Nueve mil setecientas marcaba la corredera cuando pasó entre el archipiélago de Tonga-Tabú, donde habían perecido las tripulaciones *Argos, Puerto-Príncipe* y *Duque de Portland,* y el de los Navegantes, donde fue muerto el capitán De Langle, amigo de La Perouse. Después se vio el archipiélago de Viti, donde los salvajes habían asesinado a los marineros de la *Unión* y al capitán Bureau, de Nantes, que mandaba la *Amable Josefina.*

Este archipiélago, que se prolonga en una extensión de cien leguas del Norte al Sur, y de noventa de Este a Oeste, está comprendido entre los 6° y 2° de latitud meridional, los 174° y 179° de longitud Oeste. Se compone de cierto número de islas, islotes y escollos, entre los cuales se observan las islas de Viti-Levú, Vanua-Levú y Kanduvon.

Fue Tasman quien descubrió este grupo en 1643, el año mismo en que Torricelli inventaba el barómetro, y en que Luis XIV subía al trono. Discúrrase cuál de estos tres hechos habrá sido el más útil para la humanidad. Vinieron después Cook, en 1714; d'Entrecasteaux, en 1793; y por último, Dumont d'Urville; en 1827, que aclaró todo el caos geográfico del archipiélago. El *Nautilus* se acercó a la bahía de Wailea, teatro de las terribles aventuras del capitán Dillon, que fue el primero en esclarecer el misterio del naufragio de la Perouse.

Esa bahía, diferentes veces surcada por la draga, produce en abundancia excelentes ostras, de las cuales comimos sin moderación, después de haberlas abierto sobre nuestra misma mesa, según el precepto de Séneca.

Pertenecían estos moluscos a la especie conocida con el nombre de *ostra lamellosa,* que es muy común en Córcega. El banco de Wailea, debía de ser considerable, y ciertamente que, sin múltiples causas de destrucción, aquellas aglomeraciones acabarían por colmar las bahías, puesto que se cuentan hasta dos millones de huevos, en un solo individuo.

Y si Ned Land no tuvo que arrepentirse de su glotonería en aquella circunstancia, fue porque la ostra es el único alimento que jamás provoca indigestiones. En efecto, se necesitan dieciséis docenas de estos moluscos para suministrar los trescientos quince gramos de sustancia azoada necesaria para el alimento cotidiano de un solo hombre.

El 25 de diciembre, el *Nautilus* navegaba por entre el archipiélago de las Nuevas Hébridas, descubiertas por Quirós en 1708, exploradas por Bougainville en 1768, y a quien dio Cook su nombre actual en 1773. El grupo se compone principalmente de nueve grandes islas, formando una banda de ciento veinte leguas del Nornoroeste al Sursudeste, comprendida entre 15 y 20° de latitud Sur, y entre 164 y 168° de longitud. Pasamos bastante cerca de la isla de Aurora, que en el momento de las observaciones de mediodía apareció como una masa de bosques verdes dominada por un pico de gran altura.

Aquel día era Navidad, y me pareció que Ned Land había echado mucho de menos la celebración de la Nochebuena, verdadera fiesta de familia de que son muy fanáticos los protestantes.

Ocho días habían transcurrido sin que yo viese al capitán Nemo, cuando el 27 por la mañana entró en el gran salón, y siempre como si no hiciera más que cinco minutos que se hubiese separado de nosotros. Estaba yo reconociendo en el planisferio el rumbo del *Nautilus.* El capitán se acercó, puso un dedo sobre un punto del mapa y pronunció esta sola palabra:

—Vanikoro.

Este nombre produjo un efecto mágico. Era el de los islotes donde se perdieron los buques de La Perouse. Me levanté súbitamente.

—¿El *Nautilus* nos lleva a Vanikoro? —pregunté.

—Sí, señor profesor —respondió el capitán.

—¿Y podré visitar esas célebres islas donde fueron destrozados la *Brújula* y el *Astrolabio*?

—Si así os place, señor profesor.

—¿Cuándo estaremos en Vanikoro?

—Ya estamos, señor profesor.

Seguido del capitán Nemo, subí a la plataforma; y desde allí, mi vista recorrió con avidez el horizonte.

Por el Nordeste asomaban fuera de las aguas dos islas volcánicas, de desigual magnitud, rodeadas por unos arrecifes de corales que medían cuarenta millas de circuito. Estábamos delante de la isla Vanikoro, propiamente dicha, a la cual Dumont d'Urville había impuesto el nombre de isla de la *Recherche* (Indagación), y precisamente ante la ensenada o abra de Varu, situada a los 16° 4′ de latitud Sur y a los 164° 32′ de longitud Este. Las tierras parecían estar cubiertas de verdor, desde la playa hasta las cumbres del interior, dominado por el monte Kapogo, cuya altura era de cuatrocientas setenta y seis toesas.

El *Nautilus*, después de haber salvado la cintura exterior de peñas por un estrecho paso, se encontró por dentro de las rompientes, donde el mar tenía una profundidad de treinta a cuarenta brazas. Bajo la verde espesura de los árboles había como una docena de salvajes que demostraron extraordinaria sorpresa al acercarnos. ¿Creyeron ver en la masa negruzca que avanzaba a flor de agua algún cetáceo formidable del cual debiesen desconfiar?

El capitán Nemo me preguntó entonces lo que sabía yo del naufragio de La Perouse.

—Lo que saben todos, capitán —le respondí.

—¿Y podríais decirme lo que saben todos? —me preguntó en tono algo irónico.

—Muy fácilmente.

Le referí lo que habían dado a conocer los últimos trabajos de Dumont d'Urville, y cuyo sucinto resumen es como sigue:

"La Perouse y su segundo, el capitán De Langle, fueron enviados por Luis XVI, en 1785, para hacer un viaje de circunnavegación. Montaban las corbetas *Brújula* y *Astrolabio,* que no volvieron a aparecer.

"En 1791, inquieto con razón el Gobierno francés sobre la suerte de ambas corbetas, armó dos grandes urcas, la *Indagación* y la *Esperanza.* Estos buques salieron de Brest el 28 de setiembre a las órdenes de Bruno d'Entrecasteaux. Dos meses después se averiguaba, por la declaración de Bowen, jefe del *Albermale,* que unos restos de buques habían sido vistos en las costas de Nueva Georgia. Pero d'Entrecasteaux, ignorando esta comunicación —por otro lado bastante incierta—, se dirigió hacia las islas del Almirantazgo, designadas, en una relación del capitán Hunter, como el sitio en que había naufragado La Perouse.

"Las investigaciones no dieron resultado. La *Esperanza* y la *Indagación* pasaron por delante de Vanikoro sin detenerse; y, en suma, fue aquel viaje desgraciadísimo, pues costó la vida a d'Entrecasteaux, a dos de sus segundos y a varios marineros de la tripulación.

"Un viejo navegante del Pacífico, el capitán Dillon, fue el primero que encontró vestigios indiscutibles de los náufragos. El 15 de mayo de 1824, su buque, el *San Patricio,* pasó cerca de la isla de Tipokia, una de las Nuevas Hébridas. Allí vino en piragua un individuo a venderle una empuñadura de espada de plata, que tenía marcados ciertos caracteres grabados al buril, pretendiendo, además, aquel hombre, que seis años antes, durante su permanencia en Vanikoro, había visto a dos europeos que pertenecían a unos buques encallados desde muchos años atrás en los arrecifes de la isla.

"Dillon adivinó que se trataba de los buques de La Perouse, cuya desaparición había conmovido a todo el mundo. Quiso llegar a Vanikoro, donde se hallaban los despojos del naufragio, pero se lo impidieron los vientos y las corrientes.

"Dillon regresó a Calcuta, y allí supo interesar en su descubrimiento a la "Sociedad Asiática" y a la "Compañía de las Indias". Un buque, al cual se dio el nombre de *Indagación,* fue entregado a sus órdenes y partió el 23 de enero de 1827, acompañado de un agente francés.

"*Indagación,* después de haber tocado en varios

puntos del Pacífico, fondeó delante de Vanikoro el 7 de julio de 1827, en la ensenada misma de Vanú, donde flotaba el *Nautilus* en este momento.

"Allí, Dillon recogió numerosos restos del naufragio, utensilios de hierro, áncoras, gazas de motón, pedreros, una bala de a dieciocho, trozos de instrumentos astronómicos, un pedazo de coronamiento de popa, una campana de bronce con esta inscripción: *Bazin me hizo,* marca de la fundición del Arsenal de Brest, hacia el año 1875. Ya no era posible la duda.

"Estuvo Dillon completando sus averiguaciones, en el mismo lugar del siniestro, hasta el mes de octubre. Abandonando después a Vanikoro, se dirigió a la Nueva Zelanda, fondeó en Calcuta el 7 de abril de 1828, y volvió a Francia, donde fue muy simpáticamente acogido por Carlos X.

"Pero entonces Dumont d'Urville, sin haber tenido conocimiento de los trabajos de Dillon, había ya partido para buscar en otros lugares el teatro del naufragio. Por los informes de un ballenero, se había sabido que entre las manos de unos salvajes de Lusiada y de Nueva Caledonia, se encontraban unas medallas y una cruz de san Luis.

"Dumont d'Urville, jefe del *Astrolabio,* fondeaba delante de Hobart Town, dos meses después que Dillon se había marchado de Vanikoro. Allí tuvo noticia de los resultados obtenidos por éste, y supo que un tal James Hobbs, segundo de la *Unión,* de Calcuta, después de tomar tierra en una isla situada a los 8° 18′ de latitud Sur y a 156° 30′ de longitud Este, había observado unas barras de hierro y unas telas encarnadas, de que se servían los naturales de aquellos parajes.

"Dumont d'Urville, bastante perplejo y no sabiendo si debía dar crédito a estas relaciones publicadas en periódicos de poca confianza, se decidió a seguir las huellas de Dillon.

"El 10 de febrero de 1828, el *Astrolabio* se presentó delante de Likonia, tomó por guía e intérprete a un desertor allí establecido; se dirigió hacia Vanikoro, llegó allí el 12 de febrero, bordeó sus arrecifes hasta el 14 y fondeó también en la ensenada de Vanú.

"El 23, algunos de los oficiales dieron la vuelta a

la isla, y trajeron varios despojos poco importantes. Los naturales, adoptando un sistema de denegaciones evasivas, no querían llevarlos al lugar del siniestro. Esta doblez hizo creer que habían maltratado a los náufragos, y, en efecto, aparentaban temer que Dumont d'Urville hubiese venido para vengar a La Perouse y sus infortunados compañeros.

"Pero seducidos al fin por medio de regalos y comprendiendo que no se trataba de castigarlos, acompañaron al segundo, Monsieur Jacquinot, al teatro del naufragio. Allí, a las tres o cuatro brazas de agua, entre los arrecifes de Pacú y de Vanú, había anclas, cañones y trozos de hierro y plomo, envueltos en concreciones calcáreas. El *Astrolabio* mandó a este paraje su bote y su ballenera, y no sin grandes fatigas consiguió la tripulación retirar un áncora de mil ochocientas libras, un cañón de a ocho de hierro fundido, un galápago de plomo y dos pedreros de cobre.

"Supo también Dumont d'Urville que La Perouse, después de haber perdido sus dos buques en los arrecifes de la isla, había construido una embarcación más pequeña para ir a perderse por segunda vez... ¿Dónde? No se sabe.

"Entonces el jefe del *Astrolabio* mandó erigir un cenotafio a la memoria del célebre navegante y de sus compañeros. Era una simple pirámide cuadrangular sentada sobre una base de corales, y en la cual no se empleó ni hierro ni ornato alguno que pudiera tentar la codicia de los naturales.

"Quiso después, Dumont d'Urville, marchar; pero estando su gente atacada por las calenturas de aquellas costas malsanas y muy enfermo también él mismo, no pudo aparejar hasta el 17 de marzo.

"Entretanto, temiendo el Gobierno francés que Dumont d'Urville no estuviese al corriente de los trabajos de Dillon, le había enviado a Vanikoro la corbeta la *Bayonesa,* mandada por Legorant de Tromelin, que se hallaba estacionada en la costa Oeste de América. La *Bayonesa* fondeó en Vanikoro algunos meses después de la partida del *Astrolabio,* sin obtener ninguna noticia nueva, pero reconociendo que los salvajes habían respetado el mausoleo de La Perouse."

Tal es en sustancia la relación que expuse al capitán Nemo, quien me dijo:

—¿Nadie sabe, por consiguiente, dónde pereció el tercer buque construido por los náufragos en la isla de Vanikoro?

—Nadie lo sabe.

El capitán Nemo, sin responderme nada, me indicó que le siguiera al gran salón. El *Nautilus* se sumergió algunos metros dentro de las aguas, y las ventanas se abrieron.

Entonces advertí que entre concreciones de corales revestidos de fungias, de sifónulas, de alciones, de cariefileas, y donde nadaban millares de peces lindísimos, como girelas, glifisidontes, ponféridos, diácopos y holocentros, yacían algunos despojos que las dragas no habían podido arrancar, tales como abrazaderas de hierro, áncoras, cañones, balas, un aparejo de cabrestante, un branque, objetos todos procedentes de los buques naufragados y ahora recubiertos de flores.

Y mientras yo contemplaba aquellos restos desconsoladores, el capitán Nemo me decía con acento grave:

—La Perouse partió el 7 de diciembre de 1785 con sus buques la *Brújula* y el *Astrolabio,* fondeó primero en Botany Bay; visitó el archipiélago de los Amigos, Nueva Caledonia, se dirigió hacia Santa Cruz y arribó a Eamuca, una de las islas del grupo Hepaï. Después, sus embarcaciones llegaron a los arrecifes desconocidos de Vanikoro. La *Brújula,* que iba delante, tocó en la costa meridional. El *Astrolabio* vino en su auxilio, y también encalló. El primero quedó destruido casi en el acto. El segundo, varado por sotavento, resistió algunos días. Los naturales acogieron bastante bien a los náufragos. Éstos les recibieron en la isla y construyeron un barco más pequeño con los despojos de los otros. Algunos marineros se quedaron voluntariamente en Vanikoro, y los demás, debilitados, enfermos, partieron con La Perouse, y dirigiéndose hacia las islas Salomón, perecieron con su embarcación sobre la costa occidental de la principal isla del grupo, entre el cabo Decepción y Satisfacción.

—¿Y cómo lo sabéis? —exclamé.

—Mirad lo que encontré en el lugar del siniestro.

El capitán Nemo me enseñó una caja de hojalata, marcada con las armas de Francia y carcomida por las aguas salinas. La abrió y vi un manojo de papeles amarillentos, pero legibles.

Eran las instrucciones del ministro de la Marina a La Perouse, anotadas al margen por mano de Luis XVI.

— ¡Ah! ¡Es una muerte feliz para un marino! — dijo entonces el capitán Nemo —. ¡Tranquila es esa tumba de coral, y quiera el cielo que mis compañeros y yo no conozcamos otra jamás!

Capítulo XX

EL ESTRECHO DE TORRES

Durante la noche del 27 al 28 de diciembre, el *Nautilus* abandonó a toda máquina los parajes de Vanikoro. Su dirección era al Suroeste, y en tres días recorrió las setecientas cincuenta leguas que separan el grupo de La Perouse de la punta Sureste de la Papuasia.

El 1 de enero de 1863, muy de madrugada, Consejo se reunió conmigo en la plataforma.

— ¿Me permitirá el señor que le felicite, como primer día del año que es hoy?

— ¿Conque te acuerdas de felicitarme, exactamente como si estuviéramos en París, en el Jardín de Plantas? Acepto tus votos, y te los agradezco. Solamente tengo que hacerte una observación, y es que me digas lo que entiendes por felicitación en las circunstancias que nos rodean. ¿Será éste el año que pondrá fin a nuestro cautiverio, o seguiremos tan extraño viaje?

— A fe mía — respondió Consejo —, yo no sé qué decir al señor. Son tales las cosas curiosas que vemos, que no hemos tenido tiempo de sufrir de tedio, desde hace dos meses. La última maravilla siempre es la más admirable; y si esta progresión continúa, no acierto a comprender cuándo acabará. Me parece que nunca volveremos a tener semejante ocasión.

—Nunca.

—Además, el señor Nemo, que justifica muy bien su nombre latino, no es nada molesto para nosotros.

—Así es lo cierto, Consejo.

—Creo, pues, y no se disguste el señor, que un buen año sería el que nos permitiese verlo todo.

—¡Verlo todo! Quizá sería algo largo. Pero ¿qué opina Ned Land?

—Ned Land piensa precisamente lo contrario —respondió Consejo—. Es un ente positivo y un estómago imperioso. No le basta estar siempre viendo peces y no comer otra cosa. La falta de vino, de pan, de carne, no conviene a un sajón, para quien son familiares los bistecs y a quien no asustan ni el brandy ni el gin, tomados en cantidad moderada.

—Por lo que a mí toca, Consejo, no es eso lo que me inquieta, y me va muy bien con el régimen de a bordo.

—Lo mismo me pasa a mí —respondió Consejo—. Por eso igual me da quedarme que a Ned Land escaparse. Por consiguiente, si el año que empieza no es bueno para mí, lo será para él, y recíprocamente. De esta suerte siempre habrá alguno que quede satisfecho. Y por último, para concluir, deseo lo que al señor más le plazca.

—Gracias, Consejo; pero aplazaremos para otra ocasión la cuestión de aguinaldo, y la sustituiremos provisionalmente con un apretón de manos, pues de otra cosa no dispongo.

—Nunca ha sido el señor tan generoso —respondió Consejo.

Y después de decir esto, el buen muchacho se retiró.

El 2 de enero habíamos andado once mil trescientas cuarenta millas, o sea cinco mil doscientas cincuenta leguas, desde nuestro punto de partida en los mares del Japón. Ante el espolón del *Nautilus* se extendían los peligrosos parajes del mar de coral, en la costa Nordeste de Australia. Nuestro barco bordeaba a distancia de algunas millas aquel temible banco en donde los buques de Cook estuvieron a punto de perderse el 10 de junio de 1776. El bajel montado por Cook dio en la peña, y, si no fue a pique, debióse a que el trozo de coral desprendido por el choque quedó empotrado en la fractura del casco.

Mucho hubiera yo deseado visitar aquel arrecife, que tenía trescientas sesenta leguas y contra el cual la mar, siempre gruesa, se quebraba con formidable intensidad, semejante al estrépito del trueno. Pero en este momento los planos inclinados del *Nautilus* nos llevaban a gran profundidad, y nada pude ver de aquellas elevadas murallas coralígenas, debiendo satisfacerme con el espectáculo de algunos peces traídos por nuestras redes. Entre otros, observé unos germones, especie de escombros grandes como atunes, de costados azulados y rayados con listas transversales, que desaparecen con la vida del animal. Estos peces nos acompañaban en bandadas, y aportaron a nuestra mesa una carne realmente delicada. Se cogieron también muchos esparos vertores, largos de medio decímetro, con sabor de dorada, y pirápedos volantes, verdaderas golondrinas submarinas, que en las noches oscuras rayan alternativamente los aires y las aguas con brillos fosfóricos. Entre los moluscos y zoófitos salieron enredados en las mallas de la barredera diferentes especies de alcionarias, ursinas, martillos, espuelas, cuadrantes, ceritas y hialas. La flora estaba representada por bellísimas algas flotantes, laminarias y macrocísteas, impregnadas con el mucílago desprendido de sus poros y entre las cuales recogí una admirable *Nemastona geliniaroide,* que fue clasificada con las curiosidades naturales del Museo.

Dos días después de haber atravesado el mar de Coral, el 4 de enero dimos vista a las costas de la Papuasia. Entonces el capitán Nemo me comunicó su intento de llegar al océano Índico por el estrecho de Torres, sin añadir más, lo cual complació a Ned Land, porque este rumbo nos acercaba a los mares europeos.

El estrecho de Torres es considerado como no menos peligroso por los escollos de que está erizado, que por los salvajes naturales que frecuentan sus costas. Se halla situado entre Nueva Holanda y la gran isla de Papuasia, llamada también Nueva Guinea.

La Papuasia tiene cuatrocientas leguas de longitud por ciento treinta de anchura, y una superficie de cuarenta mil leguas geográficas. Se encuentra entre los 0° 19′ y 10° 2′ de latitud meridional, y entre los 728° 23′ y 146° 15′ de longitud. A las doce, mientras que el segundo tomaba la altura del sol, divisé los montes Arfals, elevados por planos y terminados por picos agudos.

Esta tierra, descubierta en 1511 por el portugués Francisco Serrano, fue visitada sucesivamente por don José de Meneses, en 1526; por Grijalba, en 1527; por Alvar de Saavedra, en 1528; por Iñigo Ortiz, en 1545; por el holandés Shouten, en 1616; por Nicolás Sruic, en 1753 por Tasman, Campiel, Fumel, Cartereet, Edwards, Bougainville, Cook, Forrest, Mac Dluer, Entrecasteause, en 1792, por Duperre y, en 1823 y por Dumont d'Urville, en 1827. "Es el foco de los negros que ocupan toda la Malasia, ha dicho Rienzi, y no había yo sospechado que los azares de nuestra navegación me iban a poner en presencia de los temibles Andamenos.

El *Nautilus* se presentó, pues, a la entrada del estrecho más peligroso del mundo, de aquel que los navegantes más atrevidos se arriesgan apenas a pasar; estrecho que Luis Paz de Torres afrontó al regresar de los mares del Sur, en la Melanesia, y en el cual, en 1840, las corbetas varadas de Dumont d'Urville estuvieron a punto de perderse por completo. El mismo Nautilus, superior a todos los peligros del mar, iba a ponerse en contacto con los arrecifes coralíferos.

El estrecho de Torres tiene unas treinta y cuatro leguas de ancho, pero está obstruido por una cantidad innumerable de islas, islotes, rompientes y peñas que casi imposibilitan su navegación. En su consecuencia, el capitán Nemo tomó todas las precauciones exigidas para atravesarlo. El *Nautilus,* flotando a flor de agua, avanzaba con moderado andar. Su hélice batía con lentitud, cual una cola de cetáceo, aquellas peligrosas aguas.

Aprovechando la situación, mis dos compañeros y yo habíamos subido a la plataforma, siempre desierta. Delante de nosotros se elevaba la camareta o tambucho del timonel, y si no me engaño, allí debía estar el capitán Nemo dirigiendo por sí mismo su embarcación.

Tenía yo a la vista los excelentes mapas del estrecho de Torres, trazados por el ingeniero hidrógrafo Vicendon Dumoulin, y por el alférez de navío Coupvent Desbois, hoy almirante, que formaban parte del Estado Mayor de Dumont d'Urville durante su último viaje de circunnavegación. Estos mapas y los del capitán King son los mejores que pueden servir para desentrañar el intrincado laberinto de aquel angosto pasaje, y yo los consultaba con escrupulosa atención.

Alrededor del *Nautilus* el mar bullía con furia. La corriente de oleadas que venía del Sureste al Noroeste, con una velocidad de dos millas y media, se quebraba sobre los corales que asomaban por diferentes puntos.

— ¡Qué mar tan encrespado! — dijo Ned Land.

— Detestable, en efecto — respondí —: y por cierto que no puede convenir a un barco como el *Nautilus*.

— Preciso es — repuso el arponero — que ese condenado capitán esté bien seguro de su derrotero, porque veo por ahí unas masas de corales que despedazarían este buque, aun cuando no hiciera más que rozarlos.

En efecto, la situación era peligrosa; pero el *Nautilus* parecía deslizarse como por encanto en medio de aquellos agudos escollos. No siguió exactamente el camino del *Astrolabio* y de la *Celosa,* que fueron tan fatales a Dumont d'Urville. Tomó más al Norte, bordeó la isla Murray y volvió al Sudeste, hacia el paso de Cumberland. Yo creí que iba a varar, cuando, remontándose por el Noroeste, se dirigió por entre una gran cantidad de islas e islotes poco conocidos hacia la isla Tund y el canal Malo.

Reflexionaba yo en si el capitán Nemo, imprudente hasta la demencia, quería enfilar su buque en aquel canalijo donde tocaron las dos corbetas de Dumont d'Urville, cuando modificando por segunda vez su dirección y cortando recto al Oeste, se encaminó hacia la isla Gueboroar.

Eran las tres de la tarde. El oleaje se estrellaba sobre las peñas, estando las aguas casi en pleamar. El *Nautilus* se acercó a la isla, que todavía se me representa a la imaginación con su franja de péndanos. La estábamos bordeando a menos de dos millas.

De repente, un choque me derribó. El *Nautilus* acababa de tocar en un escollo, y se quedó parado, dando una ligera zaborda sobre babor.

Cuando me levanté, divisé sobre la plataforma al capitán Nemo y a su segundo. Estaban examinando la situación del buque, mientras hablaban algunas palabras en su lengua incomprensible.

La situación era la siguiente. A dos millas por estribor aparecía la isla Gueboroar, cuya costa se redondeaba del Norte al Oeste como un inmenso brazo. Por el Sur y el Este asomaban algunos arrecifes de corales que el reflujo dejaba descubiertos. Habíamos varado en pleamar, y en uno de esos parajes donde las mareas son medianas, circunstancia perjudicial para ponerse a flote; pero el buque no había tenido avería alguna, gracias a la solidez de su casco. Sin embargo, aunque no podía irse a pique ni abrirse, corría mucho riesgo de quedar para siempre preso entre aquellos escollos, y entonces había sonado la última hora para el aparato submarino del capitán Nemo.

Yo me entregaba a esta meditación, cuando el capitán, frío y sereno, siempre dueño de sí mismo, ni conmovido ni contrariado, se acercó y le dije:

—¿Un accidente?

—No; un incidente —me respondió.

—Pero un incidente —repliqué— que os obligará tal vez a habitar de nuevo las tierras de donde huís.

El capitán Nemo me miró con aire singular, e hizo un ademán negativo, significándome con bastante claridad que nada habría que le hiciera volver a poner los pies en un continente. Después dijo:

—Por otra parte, señor Aronnax, el *Nautilus* no está perdido. Os llevará todavía en medio de las maravillas del océano. Nuestro viaje principia ahora, y no deseo privarme tan pronto del honor de vuestra compañía.

—Sin embargo, capitán Nemo —exclamé sin dar importancia al giro irónico de esta frase—, el *Nautilus* ha varado en el momento de pleamar. Ahora bien, las mareas no son pronunciadas en el Pacífico, y si no podéis aligerar el *Nautilus*, lo cual me parece imposible, no concibo cómo lo sacaréis a flote.

—Las mareas no son muy pronunciadas en el Pacífico, tenéis razón, señor profesor —replicó el cacapitán Nemo—; pero en el estrecho de Torres hay todavía una diferencia de metro y medio entre el nivel de las altas y bajas mareas. Hoy estamos a 4 de enero, y dentro de cinco días será luna llena. Mucho me sorprendería que este complaciente satélite no levantase lo suficiente estas masas de agua y no me prestase un servicio que a él sólo quiero deber.

Dicho esto, el capitán Nemo, seguido de su segundo, bajó al interior del *Nautilus*. En cuanto a éste, ya no se movía, permanecía quieto, como si los pólipos coralíferos le hubiesen ya incrustado entre su indestructible cemento.

—¿Y bien, señor profesor? —me dijo Ned Land, que vino hacia mí después de haberse marchado el capitán.

—Aguardaremos, amigo Ned, con tranquilidad la marea del nueve, pues parece que la luna tendrá la complacencia de ponernos a flote.

—¿Nada más que eso?

—Nada más que eso.

—Y ese capitán, no tiene sus anclas mar afuera, ni prepara su máquina, ni hace nada para espiarse? (1).

—Nada, puesto que la marea bastará —respondió sencillamente Consejo.

El canadiense miró a Consejo, y luego se encogió de hombros. Ned se expresaba como marino, y añadió:

—Podéis creerme cuando os digo que este pedazo de hierro ya no navegará ni encima ni debajo de las aguas. Ya no sirve más que para ser vendido a peso, y creo que ha llegado el momento de abandonar la compañía del capitán Nemo.

—Amigo Ned —respondí—, no desespero, como vos, de este valiente *Nautilus*, y dentro de cuatro días sabremos a qué atenernos sobre los mares del Pacífico. Por otra parte, el consejo de huir podía ser

(1) En lenguaje marítimo, *espía* es el cabo que, amarrado a un objeto o un anclote, sirve para bajar o zafrar una embarcación. *Espiarse* es tirar de dicho cabo para obtener el efecto deseado.

oportuno, si estuviésemos a la vista de las costas de Inglaterra o de la Provenza; pero en los parajes de la Papuasia es otra cosa, y siempre estaremos a tiempo de acudir a este extremo si el *Nautilus* no llega a salvarse, lo cual consideraría yo como un acontecimiento grave.

—¿Pero no podríamos al menos palpar ese terreno? —repuso Ned Land—. Ahí tenemos una isla. En esa isla hay árboles. Debajo de esos árboles existen animales terrestres, portadores de chuletas y de *roastbeefs*, a los cuales daría gustoso alguna dentellada.

—Tiene razón el amigo Ned —dijo Consejo—; y soy de su parecer. ¿No podría el señor obtener de su amigo el capitán Nemo que nos trasladase a tierra, aunque sólo fuera para no perder la costumbre de pisar con el pie las partes sólidas de nuestro planeta?

—Puedo preguntárselo; pero se negará.

—Arriesgue el señor la pregunta —dijo Consejo—, y sabremos a qué atenernos acerca de la amabilidad del capitán.

Con sorpresa mía, el capitán Nemo me concedió el permiso que le solicité, y hasta lo hizo con mucha gracia y resolución, sin haberme exigido la promesa de volver a bordo. Pero una fuga por las tierras de Nueva Guinea hubiera sido peligrosísima, y nunca hubiera yo aconsejado a Ned Land que la intentase. Valía más ser prisionero a bordo del *Nautilus* que caer en manos de los naturales de la Papuasia..

El bote fue puesto a nuestra disposición para la madrugada siguiente. Demasiado sabido era que el capitán Nemo no nos acompañaría, y que no se nos daría un solo marinero, por cuyo motivo tendría que encargarse Ned Land de dirigir la embarcación. Por otra parte, la tierra se hallaba a dos millas todo lo más, y para el canadiense sólo era un juego la conducción de tan ligera canoa entre las líneas de arrecifes tan fatales a los grandes bajeles.

Al día siguiente, 5 de enero, el bote fue sacado de su alvéolo y echado al mar desde lo alto de la plataforma, bastando dos hombres para la operación. Los remos estaban listos, y sólo restaba embarcarnos.

A las ocho, armados con escopetas eléctricas y con

hachas, nos separábamos del *Nautilus*. Estaba el mar bastante bonancible, y la tierra nos enviaba una ligera brisa. Consejo y yo, asidos de los remos, bogábamos vigorosamente, y Ned era quien manejaba el timón, dirigiéndonos por las angostas canalijas que existían entre las peñas. El esquife se gobernaba bien, y corría con rapidez hacia la tierra.

Ned Land no podía contener su alegría. Era un preso escapado de la cárcel, sin acordarse que debía volver a ella.

— ¡Carne! — repetía —. ¡Vamos a comer carne! ¿Y qué carne! ¡Caza limpia! ¡Nada de pescado! No digo que el pescado sea malo, pero no hay que abusar de él, y un trozo de carne fresca, asado sobre ascuas, variará admirablemente nuestro menú ordinario.

— ¡Goloso! — respondía Consejo —. ¡La boca se me hace agua!

— Falta saber — dije — si en esos bosques hay caza, y si habiéndola, sea de tal naturaleza que se convierta en cazadora y persiga al cazador.

— Aun así, señor Aronnax — respondió el canadiense, cuyas muelas parecían aguzarse cual el filo de un hacha —; comeré tigre, solomillo de tigre si no hay otro cuadrúpedo en la isla.

— ¡Qué obstinado! — dijo Consejo.

— Sea cual fuese — repuso Ned Land — todo animal de cuatro patas sin plumas, o de dos patas con plumas, recibirá el saludo de mi primer tiro.

— ¡Bueno! — exclamé yo —. ¡Ya principian de nuevo las imprudencias de maese Land!

— No tengáis cuidado, señor Aronnax — respondió el canadiense —, y remad aprisa. No pido ni veinticinco minutos para ofreceros un plato preparado por mí.

A las ocho y media el bote del *Nautilus* arribó suavemente sobre una playa de arena, después de haber atravesado con felicidad el anillo coralífero que cercaba la isla de Gueboroar.

CAPÍTULO XXI

ALGUNOS DÍAS EN TIERRA

AL tocar en tierra, quedé vivamente impresionado, mientras que Ned Land, por su parte, golpeaba el suelo con el pie, cual si de él quisiera tomar posesión. No hacía, sin embargo, más que dos meses que éramos, según expresión del capitán Nemo, los pasajeros del *Nautilus*; es decir, en realidad sus prisioneros.

En algunos minutos estuvimos a un tiro de fusil de la costa. El suelo era casi exclusivamente madrepórico; pero ciertos cauces de torrentes enjutos, sembrados de restos graníticos, demostraban que la isla era debida a una formación primordial. Todo el horizonte estaba velado por una cortina de selvas admirables, con árboles enormes, cuya altura llegaba a veces a doscientos pies, y que se enlazaban unos con otros por medio de guirnaldas de bejucos, verdaderas hamacas naturales, mecidas por una ligera brisa. Allí había mimosas, nopales, causarinas, teques, hibiscos, péndamos, palmeras mezcladas en profusión, y al abrigo de su verde dosel, al pie de su gigantesco tallo, crecían las orquídeas, las leguminosas y los helechos.

Pero el canadiense, dejando de observar tan bellos ejemplares de la flora papuasiana, abandonó lo agradable por lo útil. Percibió un cocotero, derribó algunos de sus frutos, los abrió, bebimos su leche y comimos su almendra con una satisfacción que protestaba contra el régimen del *Nautilus*.

— ¡Excelente! — decía Ned Land.

— Exquisito — respondía Consejo.

— Y yo no creo — dijo el arponero — que el capitán Nemo se oponga a que introduzcamos un cargamento de cocos a bordo.

— No lo creo — dije —, pero no querrá catarlos.

—Peor para él —dijo Consejo.

—Y mejor para nosotros —respondió Ned—. Así tocaremos a más.

—Sólo una palabra, señor Land —dije al arponero, que se disponía a devastar otro cocotero—; el coco es una cosa buena, pero antes de llenar la canoa, me parece prudente reconocer si la isla produce alguna sustancia no menos útil. Las verduras frescas serían bien recibidas en la cocina del *Nautilus*.

—El señor tiene razón —respondió Consejo—, y propongo reservar tres sitios en nuestra embarcación: uno para las frutas, otro para las verduras y el tercero para la caza, de la cual no he visto aún la menor muestra.

—Consejo, no debemos desesperar de nada —respondió el canadiense.

—Continuemos, pues nuestra excursión —repliqué—; pero estemos en guardia, porque si bien la isla parece inhabitada, pudiera encerrar algunos individuos menos delicados que nosotros sobre la naturaleza de la caza.

—¡Eh, eh! —exclamó Ned Land con un movimiento de quijadas muy significativo.

—¿Qué os pasa, Ned? —preguntó Consejo.

—A fe mía —respondió el arponero—, que empiezo a comprender los encantos de la antropofagia.

—¡Ned, Ned, qué decís! —replicó Consejo—. ¡Vos antropófago! Entonces no estamos seguros. ¡Y yo que duermo en el mismo camarote! ¿Me despertaré un día medio comido?

—Amigo Consejo, me gustáis mucho, pero no tanto como para comeros sin necesidad.

—No me fío —respondió Consejo—. ¡A cazar! No hay más remedio que hacerlo para satisfacer a este caníbal, porque, si no, la mejor de las mañanas no hallará el señor más que pedazos de criado para servirle.

Mientras se seguía esta conversación, penetrábamos bajo las sombrías bóvedas de la selva, y durante dos horas la recorrimos en todos sentidos.

Quiso la suerte servirnos a medida de nuestro deseo en esta investigación de vegetales comestibles, y uno de los productor más útiles de las zonas tropicales nos dio un alimento precioso que faltaba a bordo.

Quiero hablar del árbol del pan, abundantísimo en la isla de Gueboroar, donde noté especialmente la variedad desprovista de pepitas, llamada *rima* en lengua malesa.

Distinguíase este árbol de los demás por un tronco recto de cuarenta pies. Su copa, graciosamente redondeada y formada de hojas grandes multilobuladas, designaba lo bastante para un naturalista ese artocarpo tan fácilmente aclimatado en las islas Mascareñas. De su verde masa pendían unas grandes frutas globulosas, de un decímetro de anchura, provistas de rugosidades exteriores dispuestas en exágono. Este utilísimo árbol, que ha sido dado por la Naturaleza a las regiones donde falta el trigo, produce frutos durante ocho meses sin exigir cuidado alguno.

Ned Land conocía muy bien aquella fruta, porque ya la había comido durante sus largos viajes, y sabía de qué modo se preparaba la sustancia comestible. Por eso su apetito se excitó y, sin poder aguantarlo, exclamó:

—Señor profesor, si no pruebo un poco de esa pasta del árbol del pan, me muero.

—Probadla, amigo Ned. Estamos aquí para hacer experimentos; pues hagámoslos.

—No tardaré mucho —añadió el arponero.

Y encendió, por medio de un cristal lenticular, un montón de leña seca, que chisporroteó alegremente. Entretanto, Consejo y yo escogíamos las mejores frutas del artocarpo. Algunas no estaban aún bastante maduras, y su espesa película recubría una pulpa blanca, pero poco fibrosa. Algunas otras, amarillentas y gelatinosas, sólo esperaban el momento de ser cogidas.

Esas frutas no tenían hueso. Consejo llevó una docena a Ned Land, que las colocó sobre ascuas, después de haberlas cortado en ronchas gruesas, y exclamando al mismo tiempo:

—Ya veréis, señor profesor, qué bueno es este pan.

—Sobre todo cuando se ha estado sin él mucho tiempo —dijo Consejo.

—Es mejor que pan —añadió el arponero—; es un

delicadísimo bollo. ¿No le habéis comido nunca, señor profesor?

—Nunca, amigo mío.

—Pues bien, preparaos para absorber un suculento bocado; si no lo alabáis, ya no soy el rey de los arponeros.

Al cabo de algunos minutos, la parte de las frutas expuesta al fuego, quedó completamente carbonizada. En el interior aparecía una pasta blanca, especie de miga tierna, cuyo sabor era parecido al de la alcachofa. Debo confesar que aquel pan era excelente, y lo comí con extraordinario gusto.

—Por desgracia —dije—, semejante pasta no puede conservarse fresca, y me parece inútil hacer provisión de ella para llevarla a bordo.

—Os equivocáis, señor profesor —manifestó Ned Land—. Vos habláis como naturalista, yo obraré como panadero. Consejo, haced una recolección de esas frutas y las tomaremos a la vuelta.

—¿Y cómo las preparáis? —pregunté al canadiense.

—Fabricando con su pulpa una pasta fermentada, que se guardará indefinidamente sin corromperse. Cuando la queráis comer la haré cocer en la cocina de a bordo; y a pesar de su sabor algo ácido, os parecerá
Terminada nuestra cosecha, proseguimos la marcha para completar nuestra comida terrestre.
excelente.

—Entonces, ya veo que nada falta a ese pan.

—Sí, señor —respondió el canadiense—; ahora faltan, para acompañarle, algunas frutas, o siquiera algunas legumbres.

—Busquemos las frutas y las legumbres.

No fueron inútiles nuestras investigaciones, pues habíamos hecho una amplia cosecha de plátanos. Este delicioso producto de la zona tórrida madura durante todo el año; y los maleses, que le han dado el nombre de *pisang,* lo comen sin hacerlo cocer. Recogimos, además, cierta fruta llamada *jack,* cuyo sabor es muy pronunciado, unos *mangueis* sabrosos y unas piñas de inverosímil magnitud. Pero esta recolección nos ocupó mucho tiempo, si bien no había motivo para lamentarlo.

Consejo observaba a Ned; éste marchaba delante

y, durante su paseo por la selva, recogía con segura mano excelentes frutas, que debían completar su provisión.

—Acabemos —dijo Consejo—. ¿Os falta aún alguna cosa?

—¡Hum! —contestó el canadiense.

—¿Qué es eso? ¿Todavía os quejáis?

—Esos vegetales no pueden constituir una comida —respondió Ned—, sino los postres. ¿Y la sopa? ¿Y el asado?

—En efecto —dije—. Ned nos había ofrecido unas chuletas, que me parecen muy problemáticas.

—Señor profesor —repuso el arponero—, no tan sólo no hemos acabado la caza, sino que todavía está por empezar. ¡Paciencia! Ya encontraremos algún animal de pluma o pelo, si no en un paraje, en otro...

—Y si no lo hallamos hoy, lo buscaremos mañana —añadió Consejo—, porque no debemos alejarnos mucho. Propongo que regresemos a la canoa.

—¡Cómo! ¿Tan pronto? —exclamó Ned.

—Debemos volver antes que sea de noche —dije yo.

—Pero ¿qué hora es? —preguntó el canadiense.

—Las dos, por lo menos —respondió Consejo.

—¡Qué pronto se pasa el tiempo en tierra firme! —dijo Ned Land, con un suspiro pesaroso.

—¡En marcha! —respondió Consejo.

Volvimos, pues a atravesar la selva, y completamos nuestra cosecha arramblando con una porción de nueces palmistas, que era menester coger en la copa de los árboles, y recogiendo unas habichuelas que eran de las llamadas *abrú* por los maleses, y algunas batatas de superior calidad.

Cuando llegamos al bote, íbamos muy cargados; pero no estaba todavía satisfecho Ned Land, quien, por fortuna suya, vio al tiempo de embarcarse unos árboles de veinticinco a treinta pies, que pertenecían a la especie de las palmeras. Esos árboles, tan preciosos como el artocarpo. figuran con razón entre los más útiles productos de la Melanesia.

Eran unos saguteros, vegetales que crecen sin cultivo, reproduciéndose como las moreras, por renuevos y por semillas.

Ned Land conocía el modo de tratar aquellos árboles. Tomó su hacha y manejándola con extraordinaria fuerza, tendió en el suelo dos o tres árboles, cuya madurez se conocía por el polvillo blanco que tenían sus palmas.

Con ojos de naturalista, más bien que como hombre hambriento, mirábale yo trabajar. Comenzó por levantar en cada tronco una tira de corteza, del grueso de una pulgada, debajo de la cual existía un tejido de fibras prolongadas formando complicados nudos, e inpregnadas por una especie de harina gomosa. Esta harina era el segú, sustancia comestible que sirve principalmente para la alimentación de las poblaciones de la Melanesia.

Ned Land se contentó por entonces con cortar los troncos en pedazos, como si se tratase de leña, reservándose extraer más tarde la harina, colarla por un cedazo para separar los ligamentos fibrosos, hacer evaporar la humedad al sol y dejarla endurecer en moldes.

Por último, a las cinco de la tarde, cargados con todas aquellas riquezas, abandonamos la playa, y media hora después llegábamos al *Nautilus*. Nadie salió a nuestro encuentro. El enorme cilindro de hierro parecía desierto. Una vez embarcadas las provisiones, me fui a mi cámara, donde encontré la cena lista. Comí y me dormí.

Al siguiente día, 6 de enero, nada de nuevo ocurría a bordo. No se escuchaba el más mínimo ruido en el interior, ni había señal alguna de vida. El bote había permanecido en el sitio mismo donde lo habíamos dejado. Resolvimos volver a la isla de Gueboroar. Ned Land esperaba ser más afortunado que la víspera en cuanto a caza, y quería visitar otra parte de la selva.

Al salir el sol ya estábamos en marcha. La embarcación, impelida por el oleaje, alcanzó la isla en pocos instantes.

Desembarcamos, y creyendo que era mejor guiarnos por el instinto del arponero, seguimos a Ned Land, cuyas largas piernas amenazaban dejarnos atrás.

Ned Land siguió la costa hacia el Oeste, y después, vadeando algunos arroyos, alcanzó la alta llanura, embellecida con admirables bosques. Algunas arvelas, del género del martín-pescador, andaban por las orillas de las corrientes, pero se mantenían a distancia. Su circunspección me demostró que aquellos volátiles sabían ya a qué atenerse acerca de los bípedos de nuestra especie, y deduje que si la isla no estaba habitada, era frecuentada al menos por seres humanos.

Después de haber cruzado una pradera bastante frondosa, llegamos a la linde de un bosquecillo, animado por el canto y el vuelo de muchos pájaros.

—Todavía no se ven más que pájaros —dijo Consejo.

—Pero los hay comestibles —respondió el arponero.

—No por cierto, amigo Ned —replicó Consejo—, porque yo no veo más que papagayos.

—Amigo Consejo —respondió gravemente Ned—, el papagayo es el faisán de los que no tienen otra cosa que comer.

—Y añadiré —decía yo— que esa ave, convenientemente aderezada, bien merece un golpe de tenedor.

En efecto, bajo el frondoso follaje de aquel bosque saltaba de rama en rama todo un mundo de papagayos, que sólo esperaban una educación más esmerada para hablar la lengua humana. Por el momento, chapurreaban en compañía de unas cotorras de todos colores, y de graves guacamayos, que parecían meditar algún problema filosófico, mientras que unos loros, de color encarnado brillante, pasaban, cual un trozo de estambre llevado por la brisa, en medio de unos kalaos de ruidoso vuelo, unos papúas, teñidos con los matices azules más finos y toda una variedad de volátiles bellísimos, pero generalmente poco comestibles.

Sin embargo, faltaba en esta colección una ave peculiar de aquellas tierras, y que nunca ha salido de los límites de las islas de Arrú y de la Papuasia. Pero la suerte había decidido que no tardaría en admirarla.

Después de haber atravesado un tallar de mediana frondosidad, habíamos salido a un llano obstruido por zarzales. Entonces reparé que se levantaban unas aves magníficas, que la disposición de sus plumas obligaba a dirigirse contra el viento. Su vuelo ondulado, la gracia de sus aéreos giros, lo tornasolado de sus colores, atraían y recreaban la vista. No me costó trabajo reconocerlos.

— ¡Aves del paraíso! — exclamé.

— Orden de los pásares, sección de los clistomoros — respondió Consejo.

— ¿Familia de las perdices? — preguntó Ned Land.

— No lo creo, señor Land; pero cuento con vuestra destreza para coger uno de esos encantadores productos de la naturaleza tropical.

— Lo intentaré, señor profesor, aunque estoy más acostumbrado al arpón que a la escopeta.

Los naturales de aquel país, que hacen mucho comercio de estos pájaros con los chinos, tienen para cogerlos diferentes medios, que no podíamos emplear. Unas veces disponen lazos en las copas de los árboles elevados. Otras veces los cogen con una liga tenaz que paraliza sus movimientos. Hasta suelen envenenar las fuentes donde van a beber. Nosotros, sin embargo, no teníamos más medios que tirarles al vuelo, lo cual daba poca probabilidad de cazarlos. Y, en efecto, en vano apuramos una parte de nuestras municiones.

Hacia las once de la mañana, el primer plano de montañas, que forman el centro de la isla, estaba ya recorrido, y nada habíamos conseguido matar. El hambre nos aguijoneaba. Los cazadores se habían fiado del producto de su caza, sin razón. Por fortuna, Consejo, con sorpresa suya, hizo un golpe doble y aseguró el almuerzo. Acertó dos palomas, la una común y la otra torcaz; las cuales, desplumadas con presteza y ensartadas en un asador improvisado, fueron expuestas al ardor de un fuego encendido con leña seca. Mientras que se asaban tan interesantes aves, Ned preparó las frutas del artocarpo, y luego fueron las palomas devoradas hasta los huesos y declaradas excelentes. Como suelen mantenerse con nuez moscada, su carne constituye un manjar perfumado y delicioso.

— Esto es, como si las gallinas se mantuviesen con frutas — dijo Consejo.

— Y ahora, Ned, ¿qué os falta? — pregunté al canadiense.

— Una caza de cuatro patas, señor Aronnax — respondió Ned Land —. Todas esas palomas y pichones no son más que entretenimiento de la boca, y mientras no mate un animal con chuletas no estaré satisfecho.

— Ni yo tampoco, Ned, si no cojo un pájaro del paraíso.

— Prosigamos, pues, la caza — dijo Consejo —. Pero hagamos por ir regresando hacia el mar, porque hemos llegado a las primeras vertientes de las montañas y me parece más prudente volver hacia la región de las selvas.

Era un dictamen sensato, y lo seguimos. Después de una hora de andar, habíamos alcanzado un verdadero bosque de saguteros. Algunas serpientes inofensivas huían ante nosotros. Las aves del paraíso se escondían al acercarnos y me desesperaba de no alcanzarlas, cuando Consejo, que iba delante, se bajó súbitamente, dio un grito de triunfo y volvió hacia mí, trayéndome un magnífico pájaro de esa especie.

— ¡Bravo, Consejo! — exclamé.

— El señor me lisonjea demasiado — respondió Consejo.

— Pero tu golpe ha sido de maestro. ¡Coger una de esas aves vivas, y cogerla con la mano!

— Si el señor quiere examinarla de cerca, verá que no me ha costado mucho trabajo.

— ¿Y por qué?

— Porque ese pájaro está embriagado.

— ¿Embriagado?

— Sí, señor, ebrio; a causa de las nueces moscadas que se estaba comiendo. Ved, amigo Ned, ved los monstruosos efectos de la intemperancia.

— ¡Mil diantres! Para el gin que he bebido hace dos meses, no hay motivo para echármelo en cara!

Entretanto, yo examinaba el curioso animal. Consejo no se equivocaba. El pájaro, embriagado por el zumo espirituoso, estaba reducido a la impotencia. No podía volar ni andar apenas. Pero esto me daba poco cuidado, y le dejé digerir sus moscadas.

Pertenecía a la más bella de las ocho especies que hay en la Papuasia y en las islas vecinas; esto es, a la llamada *grande esmeralda*, que es al mismo tiempo una de las más raras. Su cabeza era relativamente pequeña; sus ojos, también pequeños, se hallaban cerca de la abertura del pico. Ofrecía un admirable conjunto de colores, siendo amarillo el pico, pardos los pies y las uñas, de matiz avellana las alas con púrpura en las puntas, amarillo claro en la cabeza y garganta y castaño en el abdomen y pecho. Sobre su cola se levantaban dos filamentos córneos y sedosos, adornados con largas y ligerísimas plumas de admirable finura, que completaban el conjunto de tan maravillosa ave, poéticamente llamada por los indígenas *Pájaro del sol.*

Deseaba yo vivamente poder llevar a París aquel magnífico ejemplar de ave del paraíso, a fin de regalarlo al Jardín de Plantas, que no la posee viva.

—¿Conque es cosa tan rara? —preguntó el arponero con acento que revelaba más afición a la caza que al arte.

—Muy rara, mi querido compañero, y sobre todo muy difícil de poseerla con vida. Aun después de muertas estas aves son objeto de un importante tráfico; tanto, que los indígenas han imaginado el medio de fabricarlas, así como se imitan las perlas y los diamantes.

—¡Cómo! —exclamó Consejo—. ¿Se falsifican los pájaros del paraíso?

—Sí, Consejo.

—¿Y cómo? Conoce el señor el procedimiento de los indígenas?

—Perfectamente. Las aves del paraíso pierden, cuando sopla el monzón del Este, las magníficas plumas de su cola, llamadas subalares por los naturalistas. Estas plumas son recogidas por los indígenas, quienes las adaptan con maña a una pobre cotorra mutilada. Después tiñen la sutura, barnizan el pájaro y mandan a los museos o a los aficionados de Europa esos productos de su extraña industria.

—Quiere decir —expuso Ned Land— que si el pájaro no es verdad, lo son sus plumas; y como el objeto no está destinado a ser comido, no veo en ello gran perjuicio.

Pero si mis deseos estaban satisfechos con la posesión de tan preciosa ave, no así los del canadiense respecto de su caza, hasta que, por fin, hacia las dos de la tarde, pudo tirar a un cerdo montés, de los llamados por los indígenas *bari-outang.* Venía aquella res a propósito para proporcionarnos legítima carne de cuadrúpedo, y fue bien recibida. Ned Land se mostró muy envanecido de su tiro. El cerdo, alcanzado por la bala eléctrica, cayó muerto en el acto.

El canadiense lo abrió y despojó de las entrañas, sacando media docena de costillas, que debían suministrarnos una excelente cena. Después se prosiguió la caza, en la cual todavía debían distinguirse por sus hazañas Ned Land y Consejo.

En efecto, ambos amigos, batiendo los zarzales, hicieron salir un rebaño de canguros, que huyeron brincando sobre sus elásticas patas, pero no tan de prisa que no les pudiera alcanzar la bala eléctrica.

—¡Ah, señor profesor! —exclamó Ned Land, a quien el entusiasmo de cazador se le subía a la cabeza—. ¡Qué caza tan excelente, sobre todo estofada! ¡Qué abastecimiento para el *Nautilus!* ¡Dos, tres, cinco por tierra! ¡Y cuando pienso que nos comeremos toda esa carne sin que esos necios de a bordo la prueben!

Creo que en el exceso de su alegría, el canadiense, a no haber hablado tanto, hubiera acabado con todo el rebaño. Pero se satisfizo con una docena de aquellos interesantes marsupiales, que constituyen el primer orden de los mamíferos aplacentarios, según nos dijo Consejo. Los que nosotros alcanzamos eran pequeños, pertenecientes a la especie denominada *konguroo-conejo,* que suele habitar en los troncos huecos de los árboles, y cuya ligereza es extraordinaria; pero cuando son de mediana talla, suministran buena carne.

Estábamos muy satisfechos de los resultados de nuestra caza. El alegre Ned se proponía volver al siguiente día para despoblar la isla de todos los cuadrúpedos comestibles. Pero no contaba con los sucesos que habían de sobrevenir.

A las seis de la tarde habíamos regresado a la playa, y el bote se encontraba en el mismo sitio, mientras que el *Nautilus,* semejante a un prolongado escollo, sobresalía de las aguas a unas dos millas de la costa.

Ned Land, sin más tardanza, se ocupó de la comida; era muy entendido en aquella especie de cocina, y las costillas de *bari-outang,* asadas sobre las ascuas, esparcieron muy pronto un olor delicioso, que perfumó la atmósfera.

Me dejé vencer entonces por la misma inclinación que el canadiense, y me puse extasiado a contemplar el apetitoso asado de cerdo fresco. ¡Que esto me sea dispensado, como yo se lo dispensé a maese Land, y por iguales motivos!

Por último, la comida fue excelente, completándola con pichones torcaces. La pasta de sagú, el pan del artocarpo, algunos mangueis, media docena de piñas y el licor fermentado de ciertas nueces de coco, nos comunicaron risueña alegría, y hasta creo que las ideas de mis compañeros no eran todo lo lúcidas que fuera de desear.

— Mejor haríamos en no volver esta noche al *Nautilus* — dijo Consejo.

— Mejor haríamos en no volver jamás — añadió Ned Land.

En aquel momento cayó una piedra a nuestros pies, dejando cortada la proposición del arponero.

Capítulo XXII

LOS RAYOS DEL CAPITÁN NEMO

Volvimos la vista hacia el bosque sin levantarnos, quedando mi mano parada en su movimiento hacia la boca, aunque no la de Ned Land, que terminó su evolución.

— Una piedra no cae del cielo — dijo Consejo —, porque entonces merecería el nombre de aerolito.

Otra piedra, redondeada, que se llevó de entre las manos de Consejo una sabrosa pierna de pichón, corroboró todavía más sus observaciones.

Levantados los tres con la escopeta al hombro, estábamos dispuestos a repeler todo ataque.

— ¿Son monos? — preguntó Ned Land.

— Casi lo mismo — respondió Consejo —, porque son salvajes.

— ¡Al bote! — dije, encaminándome hacia el mar,

No había más remedio que emprender la retirada, porque unos veinte indígenas, armados con arcos y flechas, aparecían sobre el lindero de un tallar que a los cien pasos nos ocultaba el horizonte de la derecha.

Nuestra canoa estaba a diez toesas de nosotros.

Los salvajes se aproximaban sin correr, pero prodigaban las más hostiles demostraciones, enviándonos una lluvia de piedras y de flechas.

Ned Land no había querido abandonar sus provisiones; y a pesar de la inminencia del peligro, tirando del cerdo por un lado y de sus canguros por otro, escapaba con la mayor celeridad posible.

En dos minutos estuvimos sobre el bote. Cargar los víveres, echarle mar afuera, armar los remos, fue cosa de un momento. No habíamos ganado dos cables de distancia, cuando cien salvajes, aullando y gesticulando, entraron en el agua hasta la cintura. Yo miré si su aparición atraería a la plataforma del *Nautilus* algunos hombres. Pero no. El enorme submarino permanencia totalmente desierto.

Veinte minutos más tarde subíamos a bordo.

Las escotillas estaban abiertas. Después de haber amarrado el bote, entramos en el interior del *Nautilus.*

Descendí al salón, donde sonaban algunos preludios armónicos. Allí estaba el capitán Nemo, delante de su órgano, sumido en un éxtasis musical.

—Capitán —le dije.

No me oyó.

—Capitán —repetí tocándole en un hombro.

Se estremeció, y exclamó volviéndose:

—¡Ah! ¿Sois vos, señor profesor? Y bien, ¿habéis hecho buena caza? ¿Habéis herborizado con suerte?

—Sí, capitán —respondí—; mas por desgracia hemos atraído una tropa de bípedos, cuya vecindad me parece peligrosa.

—¿Qué bípedos?

—Unos salvajes.

—¡Salvajes! —dijo el capitán Nemo con acento irónico—. Y ¿os asombráis de hallar salvajes en esa tierra donde habéis puesto el pie? Y ¿dónde no los hay? Y ¿son peores que los otros, esos a quienes habéis encontrado?

—Pero, capitán...

—Yo los he visto en todas partes, señor profesor.

—Pues bien, si no los queréis ver a bordo del *Nautilus,* haréis perfectamente en tomar algunas precauciones.

—Tranquilizaos, señor profesor, no hay motivo de preocupación.

—Pero esos indígenas son numerosos.

—¿Cuántos habéis contado?

—Lo menos ciento.

—Señor Aronnax —respondió el capitán Nemo, cuyos dedos se apoyaron de nuevo sobre el teclado—, aun cuando todos los salvajes de la Papuasia estuviesen reunidos en esa playa, nada tendría que temer de ellos el *Nautilus.*

Los dedos del capitán corrían entonces sobre el teclado, y reparé que sólo tocaba sobre las teclas negras, lo cual daba a sus melodías un colorido esencialmente escocés. Olvidó luego mi presencia, y quedó sumido en una meditación que no traté de turbar.

Volví a la plataforma. Era ya de noche, porque en aquella latitud el sol se pone rápidamente y sin crepúsculo. La isla de Gueboroar ya no se divisaba sino confusamente; pero numerosas hogueras encendidas en la playa, atestiguaban que los indígenas no trataban de abandonarla.

Durante algunas horas estuve solo, ora pensando en aquellos salvajes, sin temerlos, porque participaba de la confianza del impertérrito capitán, ora olvidándolos para admirar los esplendores de aquella noche tropical. Mis recuerdos iban hacia Francia, siguiendo las estrellas zodiacales que dentro de algunas horas debían alcanzar sus horizontes. La luna resplandecía en medio de las constelaciones del cenit. Recordé entonces que este fiel y complaciente satélite debía volver dos días después para levantar las aguas y sacar el *Nautilus* de su engarce de coral. A medianoche, viendo que todo estaba quieto, lo mismo sobre las aguas sombrías que bajo los árboles de la playa, entré en mi camarote y me dormí apaciblemente.

Pasó la noche sin novedad. Los salvajes se espantaban sin duda ante la sola vista del monstruo varado en la bahía, porque, si no, las escotillas, que estaban abiertas, hubieran podido proporcionarles fácil entrada.

A las seis de la mañana, 8 de enero, subí a la plataforma. Las sombras de la noche eran disipadas por los albores de la mañana. La isla ostentó luego entre las disipadas brumas, primero sus playas y sus cumbres después.

Los indígenas seguían permaneciendo allí más numerosos que la víspera —unos quinientos a seiscientos—, y aprovechándose algunos de la marea baja, se habían adelantado por los arrecifes a menos de dos cables del *Nautilus*. Yo les distinguía fácilmente. Eran positivamente verdaderos papúas, de atlética estatura, hombres de bella raza, de frente ancha y elevada, nariz gruesa, pero no aplastada, y dientes blancos. Su crespa cabellera, teñida de rojo, se destacaba sobre un cuerpo negro y brillante como el de los nubienses. Entre ellos observé algunas mujeres vestidas desde las caderas a las rodillas con una especie de miriñaque de hierbas sostenido por un cinturón vegetal. Ciertos jefes habían adornado su cuello con una media luna y con collares de cuentas de vidrio encarnadas y blancas. Casi todos, armados con arcos, flechas y broqueles, llevaban a la espalda una especie de red, donde guardaban los cantos rodados, que con tanta destreza sabían disparar por medio de sus hondas.

Uno de los jefes, bastante cercano al *Nautilus,* lo examinaba con atención. Debía ser un *mado* de alto rango, porque estaba envuelto en una especie de esterilla tejida con hojas de plátano, dentada en sus bordes y teñida con colores muy vivos.

Hubiera podido fácilmente derribar aquel indígena que estaba a corto alcance; pero pensé que valía más aguardar demostraciones verdaderamente hostiles. Entre europeos y salvajes, conviene que aquéllos respondan y no ataquen.

Durante todo el tiempo de la baja marea, aquellos indígenas estuvieron rondando alrededor del *Nautilus,* pero sin manifestarse agresivos. Yo les oía repetir con frecuencia la palabra *assai,* y por sus ademanes comprendí que me invitaban a ir a tierra, invitación que creí deber declinar.

Por consiguiente, aquel día el bote no se movió, con profundo pesar de maese Land, que no pudo completar sus provisiones. El mañoso canadiense empleó su tiempo en preparar las viandas y harinas que había traído de la isla Gueboroar.

En cuanto a los salvajes, volvieron a tierra hacia las once de la mañana, tan luego como las crestas de coral comenzaron a desaparecer bajo las aguas de la marea corriente. Pero observé que su número crecía considerablemente en la playa, siendo probable que acudiesen de las islas vecinas, o de la Papuasia, propiamente dicha. Sin embargo, no había visto piragua alguna indígena.

No teniendo cosa mejor en que ocuparme, se me ocurrió explorar el fondo de aquellas límpidas aguas, que dejaban ver una profusión de conchas, zoófitos y plantas pelagianas. Era, por otro lado, el último día que el *Nautilus* iba a pasar en aquellos parajes, en el caso de que saliese a flote, como lo había prometido el capitán Nemo.

Llamé a Consejo, que me trajo una draga pequeña y ligera, casi semejante a las que sirven para arrancar las ostras de sus bancos.

—¿Y esos salvajes? —me preguntó Consejo—. Que no le siente mal al señor mi opinión, pero no me parecen muy malos.

—Sin embargo, son antropófagos.

—Bien puede uno ser antropófago y honrado, así como goloso y hombre de bien. No excluye lo uno a lo otro.

—De acuerdo; concedo que sean honrados antropófagos y que devoren a sus prisioneros honrosamente, pero como no tengo empeño en ser comido ni aun honradamente, estaré en guardia, porque el capitán Nemo no toma precaución alguna. Ahora, manos a la obra.

Estuvimos pescando con actividad durante dos horas sin obtener nada de importancia. La draga nos traía harpas, orejas de Midas, melanias y, especialmente, los martillos más bellos que hasta aquel día hubiese yo visto. Cogimos también algunas holoturias y una docena de tortugas pequeñas, que fueron apartadas para la cocina de a bordo.

Pero en el momento en que menos lo esperaba, puse la mano sobre una maravilla o, por mejor decir, una deformidad natural, muy difícil de encontrar. Consejo acababa de dar un golpe de draga, y su aparato subía cargado con diferentes conchas bastante comunes, cuando de repente me vio meter con presteza la mano en la red para coger una de ellas, prorrumpiendo en gritos de naturalista, esto es, los más penetrantes que dar pueda la garganta humana.

—¿Qué le pasa al señor? —preguntó Consejo, muy sorprendido—. ¿Le ha mordido algún bicho?

—No, muchacho; pero tampoco hubiera tenido inconveniente en pagar mi descubrimiento con un dedo.

—¿Qué descubrimiento?

—Esa concha —dije yo, enseñando el objeto de mi triunfo.

—Pero no es más que una simple oliva pórfido, género oliva, orden de los pectinibranquios, clase de los gasterópodos, ramificación de los moluscos.

—Sí, Consejo; pero en lugar de tener las vueltas de derecha a izquierda, las presenta de izquierda a derecha.

—¿Es posible? —exclamó Consejo.

—Sí, muchacho; es una concha siniestra.

—¡Una concha siniestra! —repetía Consejo, palpitándole el corazón.

—Contempla esa espira.

—Créamelo el señor —dijo Consejo, tomando la preciosa concha con trémula mano—, nunca he experimentado sensación semejante.

Y ciertamente que había motivo para estar conmovido, porque sabido es, según lo han observado los naturalistas, que la dirección diestra es una ley de la Naturaleza. El hombre emplea su mano derecha más que la izquierda; y, por consiguiente, sus instrumentos, aparatos, escaleras, cerraduras, muelles de reloj, están combinados de modo que la vuelta a la izquierda sea una excepción, o sea la que represente el movimiento contrario al fin propuesto, o el menos frecuente; la cuerda, en las máquinas de muelle, se da a la derecha; los tornillos vuelven a derecha para armar o asegurar, y a izquierda para desarmar. Esta ley observa la Naturaleza en los caracoles y conchas; siendo las excepciones tan raras que un caracol de espira siniestra se paga a peso de oro.

Consejo y yo estábamos absortos en la contemplación de nuestro tesoro, y me proponía enriquecer el Museo, cuando una piedra, vigorosamente lanzada por un indígena, vino a destrozar el precioso objeto en las manos mismas de Consejo.

Di un grito desesperado. Consejo agarró la escopeta y apuntó a un salvaje que agitaba su honda a diez metros de distancia. Quise detener la acción de mi criado, pero el tiro salió y la bala destrozó el brazalete de amuletos que colgaba en el brazo del indígena.

—¡Consejo! —exclamé—. ¡Consejo!

—¿Pero no ve el señor que ese caníbal ha comenzado el ataque?

—Una concha no vale la vida de un hombre —le dije.

—¡Ah, bribón! —dijo Consejo—. Mejor hubiera querido que me hubiese roto el brazo.

Consejo era sincero, pero yo no participaba de su opinión.

Entretanto, la situación había cambiado; y sin que lo hubiésemos percibido antes, nos vimos rodeados por unas veinte piraguas, fabricadas con troncos de árboles, largas, estrechas, bien combinadas para la marcha y equilibradas por medio de un doble balancín de bambúes, que flotaban en la superficie del agua. Manejábanlas diestros remeros medio desnudos, y no dejé de sentir inquietud al verlas avanzar.

Era evidente que aquellos salvajes habían tenido ya relaciones con los europeos, y que conocían sus buques. Pero ¿qué debían pensar de un prolongado cilindro de hierro, sin mástiles ni chimenea? Nada bueno, porque habían comenzado por mantenerse a una distancia respetuosa. Viendo, sin embargo, que permanecía quieto, iban cobrando confianza y trataban de familiarizarse con él, lo cual debíamos impedir. Nuestras armas, sin detonación, no podían producir más que un efecto mediano sobre aquellos indígenas, que sólo respetan los mecanismos ruidosos. El rayo, sin el estrépito del trueno, espantaría poco a los hombres, por más que el peligro esté en el relámpago y no en el ruido.

En aquel momento, las piraguas llegaron más cerca del *Nautilus*, y cayó sobre éste una nube de flechas.

—¡Diantre, cómo graniza! —dijo Consejo—. Y, ¿quién sabe si el granizo está emponzoñado?

—Hay que avisar al capitán Nemo —dije, entrando por la escotilla.

Bajé al salón. No encontré a nadie. Llamé a la puerta del capitán.

—Adelante —me respondieron.

Entré y vi que el jefe estaba embebido en un cálculo, donde no faltaban las *xxx* y otros signos algebraicos.

—¿Incomodo? —pregunté por urbanidad.

—En efecto, señor Aronnax —me respondió el capitán—; pero creo que habéis debido tener razones muy formales para venir a verme.

—Muy formales. Las piraguas de los indígenas nos rodean, y dentro de algunos minutos nos veremos acometidos por centenares de salvajes.

—¡Ah! —dijo con sosiego el capitán Nemo—. ¿Han venido con sus piraguas?

—Sí, señor.

—Pues bien, basta cerrar las escotillas.

—Precisamente; y venía a deciros...

—Nada más fácil —dijo el capitán.

Y tocando un botón eléctrico, transmitió sus órdenes a la tripulación.

—Ya está hecho —me dijo, después de algunos instantes—. El bote ya se encuentra en su sitio y las escotillas están cerradas. Pienso que no tendréis el recelo de que esos señores echen abajo unas paredes donde las balas de vuestra fragata no han podido hacer mella.

—No, capitán, pero hay otro peligro.

—¿Cuál es?

—En que mañana, a igual hora, habrá que volver a abrir las escotillas para renovar el aire del *Nautilus*.

—Sin duda, puesto que nuestro buque respira como los cetáceos.

—Pues bien, si en este momento los salvajes ocupan la plataforma, no comprendo cómo impediréis que entren.

—Entonces, suponéis que subirán a bordo.

—Estoy seguro de ello.

—Pues bien, que suban. No veo motivo alguno para impedírselo. En el fondo, esos infelices papúas son unos pobres diablos, y no quiero que mi visita a la isla de Gueboroar cueste la vida a uno solo de esos desgraciados.

Dicho esto, iba a retirarme pero el capitán Nemo me retuvo y me invitó a sentarme junto a él. Me interrogó con interés sobre nuestras excursiones por tierra, y pareció no comprender la necesidad de carne de que era tan codicioso el arponero. Después, la conversación versó sobre otros asuntos, y sin ser más comunicativo, el capitán Nemo me pareció más amable.

Entre otras cosas, departimos sobre la situación del *Nautilus,* varado precisamente en el mismo sitio donde Dumont d'Urville estuvo a punto de perderse. Después, con este motivo, dijo el capitán:

—Fue uno de vuestros grandes marinos, y uno de vuestros más inteligentes navegantes ese Dumont d'Urville. Es para vosotros, los franceses, vuestro capitán Cook. ¡Infortunado sabio! ¡Haber arrostrado los bancos de hielo del polo Sur, los escollos de la Oceanía, los caníbales del Pacífico, para perecer luego miserablemente en un tren de ferrocarril! ¡Si aquel hombre enérgico pudo discurrir algo en los últimos segundos de su existencia, figuraos cuáles debían ser sus postreros pensamientos!

Al hablar así, el capitán Nemo parecía estar conmovido; lo cual consigno para hacerle alguna concesión sobre el carácter que le atribuimos.

Después estuvimos recorriendo sobre el mapa los trabajos del navegante francés, sus viajes de circunnavegación, su doble exploración al polo Sur, en la cual descubrió las tierras Amelia y Luis Felipe, y por último, sus trazados hidrográficos de las principales islas de Oceanía.

—Lo que Dumont d'Urville ha hecho en la superficie de los mares —me dijo el capitán Nemo—, lo he realizado yo en el interior del océano, y más completa y fácilmente que él. El *Astrolabio* y la *Celosa*, naves incesantemente entregadas a los embates de los huracanes, no podían competir con el *Nautilus*, pacífico y realmente sedentario gabinete de trabajo en medio de las aguas.

—Sin embargo, capitán —dije—, hay un punto de semejanza entre las corbetas de Dumont d'Urville y el *Nautilus*.

—¿Cuál es, señor profesor?

—Es que el *Nautilus* ha varado como ellas.

—El *Nautilus* no ha varado, señor profesor —me respondió con frialdad el capitán Nemo—. El *Nautilus* se ha hecho para descansar sobre el fondo de los mares; y los trabajos penosos y las maniobras que hubo de emprender Dumont d'Urville para sacar sus naves a flote, no me hacen falta a mí. El *Astrolabio* y la *Celosa* por poco perecieron; pero mi *Nautilus* no corre peligro alguno. Mañana, a la hora fijada, la marea le levantará suavemente, y proseguirá su navegación por entre los mares.

—Capitán —dije—, yo no dudo...

—Mañana —añadió el capitán Nemo, levantándose—. Mañana, a las dos y cuarenta minutos de la tarde, el *Nautilus* flotará y abandonará sin averías el estrecho de Torres.

Pronunciadas estas palabras con acento categórico, el capitán Nemo se inclinó ligeramente, lo cual significaba que me despedía, y volví a entrar en mi cámara.

Allí encontré a Consejo, que deseaba conocer el resultado de mi entrevista con el capitán.

—Muchacho —dije—, cuando le he manifestado mi creencia de que el *Nautilus* estaba amenazado por los naturales de Papuasia, el capitán me ha hablado con mucha ironía. Ahora sólo me resta decirte que tengas confianza en él y te vayas a dormir en paz.

—¿No necesita el señor mis servicios?

—No, amigo. ¿Qué hace Ned Land?

—Con perdón del señor —respondió Consejo—, el amigo Ned está confeccionando un pastel de canguro, que será una maravilla.

Me quedé solo me acosté, pero dormí bastante mal. Yo sentía el ir y venir de los salvajes que pataleaban sobre cubierta, prorrumpiendo en gritos desaforados. Así se pasó la noche sin que la tripulación saliera de su inercia habitual. Dábales la presencia de los caníbales el mismo cuidado que a la guarnición de un fuerte blindado las hormigas que corren sobre los blindajes.

A las seis de la mañana me levanté, y todavía no estaban abiertas las escotillas. El aire no se renovó en el interior; pero los receptáculos, cargados a prevención, funcionaron oportunamente y despidieron algunos metros cúbicos de oxígeno en la atmósfera empobrecida del *Nautilus*.

Trabajé, pues, en mi cuarto hasta las doce, sin haber visto ni por un momento al capitán Nemo. Me pareció que estaban haciendo a bordo preparativos de marcha.

Esperé durante algún tiempo, y luego penetré en el salón grande.

El reloj señalaban las dos y media. Diez minutos después, las olas debían alcanzar su máximo de altura, y si el capitán Nemo no había hecho una promesa temeraria, el *Nautilus* quedaría muy pronto libre. De lo contrario, muchos meses transcurrirían antes de que pudiera dejar su lecho de corales.

Se sintió poco después algún estremecimiento precursor en el casco de la nave, y sobre sus costados rechinaron las asperezas calcáreas del fondo coralífero.

A las dos y media y cinco minutos, el capitán Nemo apareció en el salón.

—Vamos a marchar —dijo.

—¡Ah! —exclamé yo.

—He dado orden de abrir las escotillas.

—¿Y los salvajes?

—¿Los indígenas? —respondió el capitán, encogiéndose ligeramente de hombros.

—¿No entrarán en el *Nautilus?*

—¿Y cómo?

—Penetrando por las escotillas que hacéis abrir.

—Señor Aronnax —respondió tranquilamente el capitán Nemo—, no se entra tan fácilmente por las escotillas del *Nautilus,* aun estando abiertas.

Yo fijé la vista en el capitán.

—¿No comprendéis? —me dijo.

—De ningún modo.

—Pues bien, venid y veréis.

Me dirigí a la escalera central. Allí Ned Land y Consejo, muy inquietos, estaban mirando cómo se abrían las escotillas, mientras que se escuchaban fuera gritos de rabia y espantosas vociferaciones.

Las portas fueron echadas para afuera y aparecieron veinte figuras horribles. Pero el primero de los indígenas que se apoyó en el pasamanos de la escalera, fue rechazado por no sé qué fuerza invisible y huyó dando horrorosos gritos y haciendo cómicas piruetas. Diez de sus compañeros le imitaron, y los diez tuvieron igual suerte.

Consejo estaba extasiado. Ned Land, arrastrado por sus instintos violentos, se arrojó a la escalera, pero no bien hubo asido la barandilla, cuando fue derribado a su vez.

—¡Mil diantres! —exclamó—. Me ha herido un rayo.

Esta palabra me lo explicó todo. No era aquello una barandilla, sino un cable de metal cargado de electricidad, que llegaba hasta la plataforma. Todo el que lo tocaba sentía una formidable conmoción (1), que pudiera ser mortal si el capitán Nemo soltase en aquel conductor toda la corriente de sus aparatos. Puede realmente decirse que entre los que le asaltaban y él había tendida una red eléctrica que nadie podía impunemente atravesar.

Entretanto los indígenas, amedrentados, habían emprendido la retirada sobrecogidos de terror. Nosotros, medio risueños, consolábamos y dábamos fricciones al desdichado Ned Land, que juraba como un poseído del demonio.

En aquel momento, el *Nautilus*, levantado por las últimas ondulaciones de las aguas, abandonó su lecho

(1) Para que esto fuese posible era necesario que estuviese también el piso cargado de electricidad contraria a la de la barandilla. Las dos electricidades, positiva y negativa, aisladas una de otra, a una gran tensión, son las que, al combinarse, pasando por el cuerpo humano que ha de establecer la comunicación entre ambas, producen la conmoción.

de coral a los cuarenta minutos exactos fijados por el capitán. Su hélice batió las olas con majestuosa lentitud. Su velocidad creció poco a poco, y navegando por la superficie del océano, salió sano y salvo de los peligrosos pasos del estrecho de Torres.

CAPÍTULO XXIII

ÆGRI SOMNLE

Al siguiente día, 26, el *Nautilus* prosiguió su rumbo entre dos aguas pero con una velocidad notable, que no puedo calcular en menos de treinta y cinco millas por hora. Tan pronunciada era la rapidez de su hélice, que no podía yo ni contar sus vueltas ni seguirlas.

Cuando recordaba que el maravilloso agente eléctrico, después de haber dado movimiento, calor y luz al *Nautilus,* le protegía también contra los ataques exteriores y lo transformaba en una arca santa, sin peligro alguno de estallar, mi admiración ya no tenía límites, y se remontaba desde el aparato al ingeniero que lo había ideado.

Caminábamos directamente hacia el Oeste, y el 11 de enero doblábamos el cabo Wessel, situado a los 135° de longitud y 10° de latitud Norte, que formaba la punta oriental del golfo de Carpentaria. Los arrecifes eran todavía numerosos y se hallaban marcados en los mapas con perfecta precisión. El *Nautilus* evitó con facilidad los rompientes de Money, a babor, y los arrecifes de Victoria, a estribor, situados a los 130° de longitud, y en ese décimo paralelo que con tanta regularidad seguíamos.

El 13 de enero, llegado el capitán Nemo al mar de Timor, tomaba a los 122° de longitud conocimiento de esta isla, que tiene ciento veinticinco leguas cuadradas y está gobernada por unos *radjash,* príncipes que se suponen hijos de cocodrilos, es decir, oriundos del más elevado origen a que puede pretender el ser humano. Por eso aquellos escamosos antepasados cundían por los ríos de la isla, donde son objeto de particular veneración. Los protegen, los miman, los adulan, los alimentan, les ofrecen doncellas en pasto, y ¡desgraciado del extranjero que ponga la mano sobre tan sagrados lagartos!

Pero el *Nautilus* no tenía nada que ver con tan asquerosos animales, y sólo fue visible Timor durante un momento, a mediodía, mientras que el segundo fijaba su posición. Asimismo, no hice más que entrever la pequeña isla de Rotti, que forma parte del grupo, y cuyas mujeres tienen una fama de belleza muy bien acreditada en los mercados de la Melanesia.

Desde este punto, la dirección del *Nautilus* en latitud se inclinó hacia el Sudoeste, llevando el rumbo al mar de las Indias. ¿A dónde iba a conducirnos el capricho del capitán Nemo? ¿Se dirigía hacia las costas de Asia? ¿Se acercaba a las playas de Europa? Resoluciones poco probables, tratándose de un hombre que huía de los continentes habitados. ¿Bajaría hacia el Sur? ¿Doblaría el cabo de Buena Esperanza, y luego el de Hornos, para descender después al polo Antártico? ¿Volvería, por último, a sus mares del Pacífico, donde el *Nautilus* hallaba navegación fácil e independiente? El porvenir nos lo diría.

Después de haber costeado los escollos de Cartier, de Hibernia, de Seringapatam, de Scott, últimos esfuerzos del elemento sólido contra el líquido, estábamos el 14 de enero muy distantes de toda tierra. La velocidad del *Nautilus* se amortiguó singularmente, y muy caprichoso en su andar, ora avanzaba en medio de las aguas, ora bogaba sobre su superficie.

Durante aquel período de nuestros viajes, el capitán Nemo hizo interesantes experimentos sobre las varias temperaturas del mar a diferentes profundidades. En condiciones ordinarias, estos datos se obtienen por medio de instrumentos bastante complicados, cuyas indicaciones son por lo menos dudosas, ya se trate de sondas termométricas, cuyo cristal se quiebra frecuentemente bajo la presión de las aguas, ya se empleen aparatos fundados en la variación de resistencia de los metales a las corrientes eléctricas. Los resultados obtenidos no pueden comprobarse suficientemente. Por el contrario, el capitán Nemo iba por sí mismo a buscar la temperatura al fondo del mar, y su termómetro, comunicado con las diferentes capas líquidas, le daba inmediatamente y con seguridad el grado apetecido.

Así, pues, tan pronto sobrecargado sus receptáculos como descendiendo oblicuamente por medio de sus planos inclinados, el *Nautilus* fue sucesivamente alcanzando profundidades de tres, cuatro, cinco, siete, nueve y diez mil metros, siendo el definitivo resultado de sus experimentos que el mar ofrece una temperatura permanente de cuatro grados y medio a la profundidad de mil metros en todas las latitudes.

Yo observaba estos experimentos con el interés más vivo, y el capitán Nemo se consagraba a ellos con verdadera pasión. Quería yo a veces atinar el objeto de semejantes observaciones. ¿Sería en provecho de sus semejantes? No era probable, porque tarde o temprano sus trabajos debían perecer con él en algún mar ignorado, a no ser que destinase para mí el fruto de sus investigaciones, lo cual era suponer que mi extraño viaje tendría un término que yo no divisaba todavía.

Como quiera que fuese, el capitán Nemo me dio también a conocer diferentes guarismos, que establecían las relaciones de densidad del agua en los principales mares del Globo. De esta comunicación saqué una enseñanza personal que nada tenía de científica.

Ocurría esto en la mañana del 15 de enero. El capitán, con quien me paseaba en la plataforma, me preguntó si yo conocía las diferentes densidades que ofrecen las aguas del mar. Le respondí negativamente, y añadí que la ciencia carecía de observaciones rigurosas acerca de ello.

—Yo las he hecho —me dijo—, y puedo responder de su certeza.

—Bien —respondí—, pero el *Nautilus* es un mundo aparte, y los secretos de sus sabios no llegarán hasta la tierra.

—Tenéis razón, señor profesor —me contestó después de algún silencio—. Es un mundo aparte que pertenece a la tierra tanto como esos planetas que acompañan el globo alrededor del sol; y tampoco serán nunca conocidos para nosotros los trabajos a que se dedican los sabios de Saturno o de Júpiter. Pero entretanto, ya que la casualidad ha ligado nuestras dos existencias, os puedo comunicar el resultado de mis observaciones.

—Os escucho, capitán.

—Ya sabéis, señor profesor, que el agua del mar es más densa que la dulce; pero esta densidad no es uniforme, pues si represento por uno el peso específico de esta última, encuentro uno y veintiocho milésimas para la del Atlántico, uno y veintiséis milésimas para la del Pacífico, uno y treinta milésimas para la del Mediterráneo...

—¡Ah! —dije para mí—. También se aventura por el Mediterráneo...

—Uno y dieciocho milésimas para las aguas del mar Jónico, y uno y veintinueve milésimas para las del Adriático.

Decididamente, el *Nautilus* andaba también por los mares europeos más frecuentados; de lo cual deduje que nos llevaría, quizá no muy tarde, hacia unos continentes más civilizados. Me acordé que Ned Land recibiría la noticia de esta particularidad con satisfacción muy natural.

Durante varios días, nuestras jornadas se pasaron en experimentos de toda clase sobre la cantidad de sal a diversas profundidades, sobre la electrización del agua, su coloración, su transparencia, y en todas estas observaciones el capitán Nemo desplegó un ingenio que no fue igualado más que por su amabilidad para conmigo. Y después no le volví a ver durante algunos días, quedando como aislado a bordo.

El 16 de enero, el *Nautilus* se mantenía quieto a algunos metros debajo de la superficie de las aguas. Sus aparatos eléctricos no funcionaban, y su hélice, inmóvil, lo dejaba bogar a merced de las corrientes. Supuse que la tripulación se ocupaba de reparaciones interiores exigidas por la violencia de sus movimientos mecánicos.

Mi compañero y yo fuimos entonces testigos de un

espectáculo curioso. Las ventanas del salón estaban abiertas, y como el *Nautilus* no se hallaba en actividad, reinaba en medio de las aguas una oscuridad vaga. El cielo, tempestuoso y cubierto de espesas nubes, no daba a las primeras capas del océano más que una claridad insuficiente.

Observé el estado del mar en estas condiciones; y los peces más grandes no aparecían sino como sombras apenas delineadas, cuando el *Nautilus* se encontró de repente inundado de luz. Creí de pronto que se había encendido un fanal, proyectando su brillo eléctrico por la masa líquida, pero me equivocaban; y después de una observación rápida reconocí mi error.

Flotaba el *Nautilus* entre una capa fosforescente que en medio de la oscuridad resplandecía mucho. Era producida por millares de animalillos luminosos, cuyo brillo crecía al deslizarse sobre el casco metálico del aparato. Se advertían entonces en medio de las capas luminosas ciertos relámpagos, cual si fueran chorros de plomo derretido en un horno ardiente, o masas metálicas caldeadas hasta el rojo blanco, de tal suerte, que por oposición las porciones luminosas se tornaban oscuras en aquella masa ígnea, de la cual debían estar, al parecer, desterradas las sombras. ¡No! Ya no era aquello la irradiación apacible de nuestro alumbrado eléctrico. Había allí un vigor y un movimiento insólitos. Aquello era una luz viviente.

Era, en efecto, una aglomeración infinita de infusorios pelagianos, noctilucos miliares, verdaderos glóbulos de gelatina diáfana, provistos de un tentáculo filiforme, y de los cuales se cuentan hasta veinticinco mil en treinta centímetros cúbicos de agua. Y su luz se veía además duplicada por esos resplandores peculiares de las medusas, asterias, aurelias, foladéstatas y otros zoófitos-fosforescentes impregnados con la viscosidad de las materias orgánicas descompuestas por el mar, y quizá con las mucosidades segregadas por los peces.

Durante algunas horas, el *Nautilus* flotó entre aquellas capas brillantes, y nuestra admiración se acrecentó al ver cómo los grandes animales marinos jugueteaban allí cual salamandras. En medio de aquel fuego que no quema observé unos marsuinos elegantes y rápidos, infatigables *clowns* de los mares, y unos istióforos de tres metros, inteligentes precursores de los huracanes, cuya formidable espada hería de vez en cuando el cristal de la ventana. Luego aparecieron unos peces más pequeños, balistes variados, escomberoides saltadores, nasones y otros cien que culebreaban en la atmósfera luminosa.

Aquel resplandeciente espectáculo fue para nosotros un encanto. Quizá la intensidad del fenómeno era debida a alguna condición atmosférica. Quizá se desencadenaba alguna borrasca sobre la superficie del mar, pero el *Nautilus* no sentía su furia, y se mecía apaciblemente entre las tranquilas aguas a algunos metros de profundidad.

Marchábamos así incesantemente embelesados por alguna nueva maravilla. Consejo observaba y clasificaba los zoófitos, los articulados, los moluscos y los peces. Transcurrían los días con rapidez, y no los contaba ya. Ned, según su costumbre, trataba de variar la comida ordinaria de a bordo; y acostumbrados a nuestra concha, cual verdaderos caracoles, confieso que este hábito se adquiere con alguna facilidad. Natural nos parecía ya aquella existencia, y nos olvidamos que hubiese una vida diferente en el globo terrestre, cuando vino un acontecimiento a hacernos comprender de nuevo lo extraño de nuestra situación.

El 18 de enero se hallaba el *Nautilus* a los 105° de longitud y 15° de latitud meridional. El tiempo estaba amenazador, y el mar duro y proceloso. Soplaba el viento del Este con fuerza, y el barómetro, que venía ya bajando desde algunos días atrás, anunciaba una próxima lucha de elementos.

Yo estaba en la plataforma en el momento en que el segundo tomaba las medidas de ángulos horarios, y aguardaba que, según costumbre, se pronunciase la frase habitual. Pero aquel día fue sustituida por otras palabras no menos incomprensibles. Casi al mismo tiempo vi aparecer al capitán Nemo, cuyos ojos, provistos de un catalejo, se dirigieron al horizonte.

Durante algunos minutos, el capitán estuvo quieto, sin abandonar el punto de mira de su objetivo. Después bajó el anteojo y cruzó unas cuantas palabras con su segundo, que parecía hallarse entregado a una emoción en vano reprimida. El capitán Nemo, más dueño de sí mismo, se mantuvo frío, y dirigía, al parecer, ciertas objeciones, a las cuales contestaba el segundo con seguridades formales. Al menos así lo comprendí, por sus ademanes y el acento de sus palabras.

En cuanto a mí, había mirado con empeño hacia la dirección observada, sin lograr percibir ninguna cosa. El cielo y el agua se confundían en una línea de horizonte de perfecta claridad.

Entretanto, el capitán Nemo se paseaba de uno a otro extremo de la plataforma, sin mirarme y tal vez sin verme. Sus pasos eran firmes, pero menos regulares que de costumbre. Se detenía a veces, y con los brazos cruzados sobre el pecho observaba el mar. ¿Qué podía buscar en tan inmenso espacio? El *Nautilus* se hallaba entonces a algunos centenares de millas de la costa más cercana.

El segundo había vuelto a coger su anteojo, y contemplaba obstinadamente el horizonte, yendo, viniendo, golpeando el suelo con el pie; y diferenciándose de su jefe por su agitación nerviosa.

Este misterio iba necesariamente a aclararse, y muy pronto; porque a una orden del capitán Nemo, la máquina, aumentando su fuerza propulsiva, imprimió a la hélice una rotación más rápida.

Entonces el segundo llamó de nuevo la atención del capitán; y suspendiendo éste sus paseos, asestó el anteojo hacia el punto indicado, quedándose en observación mucho tiempo.

Yo, por mi parte, excitada mi curiosidad, bajé al salón y traje un excelente catalejo, del cual me solía servir; y apoyándolo en el tambucho del fanal que sobresalía en la parte anterior de la plataforma, me dispuse a recorrer toda la línea del cielo y del mar.

Pero no había aplicado todavía mi ojo sobre el ocular, cuando me arrancaron vivamente el instrumento de las manos.

Me volví, y el capitán Nemo estaba delante y casi desconocido, pues su fisonomía se hallaba transfigurada. Sus ojos brillaban con sombrío fuego y se ocultaban bajo sus fruncidas cejas. Su cuerpo rígido, sus puños cerrados, su cabeza encogida entre los hombros, manifestaban la saña violenta que respiraba toda su persona. No se movía; y mi anteojo, soltado por sus manos, había caído a sus pies.

¿Era yo quien, sin quererlo, había provocado aquella actitud iracunda? ¿Pensaba aquel personaje incomprensible que yo había sorprendido algún secreto prohibido a los habitantes del *Nautilus?*

¡No! Yo no era objeto de aquel odio, porque no me miraba; y su vista quedó obstinadamente clavada sobre el impenetrable punto del horizonte.

Por último, se dominó; y su fisonomía, tan profundamente alterada, recobró la acostumbrada serenidad. Dirigió al segundo algunas palabras en lengua extranjera, y luego volviéndose hacia mí, me dijo con acento bastante imperioso:

— Señor Aronnax, reclamo la observación de uno de los compromisos que os ligan conmigo.

— ¿De qué se trata, capitán?

— Tenéis que dejaros encerrar vuestros compañeros y vos, hasta que yo juzgue conveniente liberaros.

— Sois muy dueño de ello — le respondí, mirándole con fijeza —. ¿Pero puedo dirigiros una pregunta?

— Ninguna.

Ante esa respuesta, nada tenía yo que discutir, sino obedecer, porque la resistencia era inútil.

Bajé al camarote ocupado por Ned Land y Consejo, y les di cuenta de lo resuelto por el capitán.

Discúrrase cómo sería recibida esta comunicación por el arponero. Faltó, por otra parte, el tiempo para explicaciones, porque cuatro hombres de la tripulación, que nos aguardaban a la puerta, nos llevaron a la celda donde habíamos pasado la primera noche a bordo del *Nautilus.*

Ned Land quiso reclamar, pero le cerraron la puerta por toda contestación.

— ¿Me dirá el señor lo que esto significa? — exclamó Consejo.

Referí a mis compañeros lo ocurrido, y se quedaron tan sorprendidos como yo, sin acertar tampoco a comprender el motivo de la determinación.

Yo me entregué a un abismo de reflexiones, sin que pudiera apartarse de mi imaginación la extraña fisonomía del capitán Nemo. Me sentía incapaz de reunir dos ideas lógicas, y me perdía en las suposiciones más absurdas, cuando me sacaron de la meditación las siguientes palabras de Ned Land.

—¡Toma! ¡El almuerzo está servido!

En efecto, la mesa estaba puesta, y era evidente que el capitán Nemo había dado esta orden, al mismo tiempo que mandaba apresurar la marcha del *Nautilus.*

—¿Me permitirá el señor que le recomiende una cosa? —dijo Consejo.

—Sí, muchacho.

—Pues bien; que almuerce el señor, como cuestión de prudencia, porque no sabemos lo que puede suceder.

—Tienes razón, Consejo.

—Desgraciadamente —exclamó Ned Land— no nos han traído más que los manjares de a bordo.

—Amigo Ned —replicó Consejo—, ¿y qué dirías si nos hubiesen dejado completamente sin almuerzo?

Esta razón cortó las recriminaciones del arponero.

Nos sentamos a la mesa. La comida fue silenciosa, y yo comí poco. Consejo se excedió algo, siempre por prudencia; y Ned Land, a pesar de sus observaciones, no perdió bocado.

Terminado el almuerzo, cada uno de nosotros se recostó en su rincón.

Entonces la lámpara que alumbraba la celda se apagó, dejándonos en una profunda oscuridad. Ned Land no tardó en dormirse; y Consejo, con asombro mío, se entregó también a un profundo sopor. Discurría yo cómo se había provocado en él aquella imperiosa necesidad de dormir, cuando sentí que mi cerebro se impregnaba de una pesada torpeza. Mis ojos, que yo me empeñaba en tener abiertos, se cerraban a pesar mío, y me hallaba entregado a una dolorosa alucinación.

Evidentemente, con los alimentos que acabábamos de tomar, se habían mezclado sustancias soporíferas; y no bastaba la prisión para ocultarnos los proyectos del capitán Nemo, sino que era necesario el sueño también.

Noté entonces que las escotillas se cerraban, y que

cesaba el balanceo producido por las ondulaciones del mar. ¿Se apartaba, pues, el *Nautilus* de la superficie? ¿Volvía a descender a las capas inferiores del océano?

Quise resistir el sueño, que un frío mortal sobrecogía mis miembros, cayeron sobre los ojos cual verdaderas cubiertas de plomo, y un sueño mórbido, lleno de alucinaciones, se apoderó de mí. Y las visiones desaparecieron luego, dejándome entregado a un completo anonadamiento.

CAPÍTULO XXIV

EL REINO DEL CORAL

Al día siguiente me desperté con la cabeza singularmente despejada; y con sorpresa mía me hallaba en mi cámara, y probablemente a mis compañeros les habría sucedido lo mismo, sin que lo advirtiesen. Debían ignorar, como yo, lo que había ocurrido aquella noche; y para descubrir este misterio, sólo me fiaba en los azares del porvenir.

Me ocurrió entonces salir del camarote. ¿Estaba libre o preso? Libre completamente. Abrí la puerta, entré en los pasillos y subí a la escalera central. Las escotillas, cerradas la víspera, estaban abiertas, y llegué a la plataforma, donde Ned Land y Consejo me aguardaban.

Les pregunté, y nada sabían. Entregados a un pesado sueño, que no les dejara ningún recuerdo, se habían sorprendido también al despertar en su camarote.

En cuanto al *Nautilus*, nos pareció tranquilo y misterioso como siempre. Flotaba entonces sobre la superficie con moderado andar, y nada, al parecer, se hallaba cambiado a bordo.

Ned Land observó el mar con su penetrante mirada. Estaba desierto, y nada se divisaba en el horizonte, ni vela, ni tierra. Soplaba ruidosamente una brisa del Oeste, y unas anchas olas, encrespadas por el viento, imprimían al aparato un balanceo muy sensible.

El *Nautilus,* después de haber renovado su aire, se mantuvo a una profundidad media de quince metros, de modo que podía volver prontamente a la superficie, operación que, contra lo acostumbrado, fue practicada diferentes veces durante aquella jornada del 19 de enero. El segundo subía entonces a la plataforma, resonando en el interior de la nave su frase habitual.

En cuanto al capitán Nemo no apareció por entonces, y sólo vi al impasible *steward,* que me sirvió con una exactitud digna de su ordinario silencio.

Hacia las dos estaba yo en el salón ocupado en clasificar mis apuntes, cuando el capitán abrió la puerta y entró. Le saludé, y me hizo una cortesía casi imperceptible, sin dirigirme la palabra.

Volví a mi trabajo, esperando que me daría explicaciones sobre los sucesos de la noche anterior, pero no lo hizo. Le miré, y me pareció ver en su rostro las huellas del cansancio; sus ojos, entumecidos, no habían conocido el sueño; su fisonomía expresaba una tristeza profunda y un sentimiento real. Iba y venía, se sentaba y se levantaba, tomaba un libro al azar, lo abandonaba en seguida, consultaba sus instrumentos sin tomar las notas acostumbradas, y parecía no poderse estar quieto un instante en el mismo sitio.

Por fin vino hacia mí, diciendo:

—¿Sois médico, señor Aronnax?

Estaba yo tan ajeno de esperar esta pregunta, que le miré durante algún tiempo sin responderle.

—¿Sois médico? —repitió—. Algunos de nuestros compañeros han hecho estudios de medicina, como Gratiolet, Moquin-Tandon y otros.

—En efecto —dije—, soy doctor interno de los hospitales. He practicado durante algunos años antes de entrar en el Museo.

—Bien, señor profesor.

Mi respuesta había satisfecho indudablemente al capitán Nemo; pero no sabiendo lo que quería, yo esperaba nuevas preguntas, reservándome responder según las circunstancias.

—Señor Aronnax —me dijo—, ¿consentiríais en asistir a uno de mis hombres?

—¿Tenéis un enfermo?

—Sí.

—Estoy dispuesto a serviros.

—Venid.

Declaro que mi corazón palpitaba. No sé por qué veía yo alguna conexión entre esa enfermedad de un hombre de la tripulación con los sucesos de la víspera; este misterio me preocupaba tanto como el enfermo.

El capitán Nemo me condujo a la parte posterior del *Nautilus,* y me hizo entrar en una cámara situada cerca del puesto de los marineros.

Allí, sobre una cama, descansaba un hombre de unos cuarenta años, de rostro enérgico, verdadero tipo del anglosajón.

Me incliné sobre él, y advertí que era un herido. Su cabeza, envuelta entre ensangrentados lienzos, descansaba sobre dos almohadas. Desaté los vendajes, y el herido, con la vista clavada sobre mí, me dejó obrar, sin proferir una sola palabra.

La herida era horrible. El cráneo, fracturado por un instrumento contundente, dejaba el cerebro descubierto, y la sustancia cerebral había sufrido profundos desgarramientos. Se habían formado cuajarones sanguíneos en la masa diluyente, que afectaba el color de las heces del vino. Había habido a la vez contusión y conmoción del cerebro. La respiración del enfermo era lenta, agitando su faz algunos movimientos espasmódicos de los músculos. La flegmasía cerebral era completa, y producía la parálisis del conocimiento y del movimiento.

Tomé el pulso del herido. Era intermitente. Las extremidades del cuerpo se enfriaban, y vi que la muerte se aproximaba, sin que me pareciese posible contenerla. Después de haber hecho la cura, coloqué el apósito en su cabeza, y me volví al capitán Nemo diciéndole:

—¿Cómo se ha producido la herida?

—¿Qué importa? —respondió evasivamente el capitán—. Un choque del *Nautilus* ha roto una de las palancas de la máquina, y ésta ha herido a un hombre que se adelantó para parar el golpe que iba a recibir el segundo... ¡Un hermano dejándose matar por un hermano, un amigo por un amigo! ¿Qué cosa más natural? Ésta es la ley de todos a bordo del *Nautilus*. ¿Cuál es vuestro parecer?

Yo vacilaba en responder.

—Podéis hablar —me dijo el capitán—. Ese hombre no entiende el francés.

Miré por última vez al herido, y luego respondí:

—Ese hombre morirá dentro de dos horas.

—¿No hay nada que pueda salvarle?

—Nada.

La mano del capitán Nemo se crispó, y corrieron algunas lágrimas de sus ojos, que yo no creía hechos para llorar.

Durante algunos instantes estuve observando aquel moribundo, cuya vida iba desapareciendo. Su palidez era acrecentada por el brillo eléctrico en que estaba bañado su lecho de muerte. Contemplé su cabeza inteligente, surcada de arrugas prematuras, debidas quizás a la desgracia y a la miseria. Traté de sorprender el secreto de su vida en las últimas palabras que pronunciarían sus labios, pero el capitán Nemo me dijo:

—Podéis retiraros, señor Aronnax.

Dejé al capitán en el camarote del herido, y me retiré muy conmovido por aquella escena. Durante todo el día me agitaron siniestros pensamientos. Por la noche dormí mal; y entre mis sueños, frecuentemente interrumpidos, creí escuchar lejanos suspiros, y una especie de salmodia fúnebre. ¿Era aquello la plegaria de los muertos rezada en el idioma que yo no podía comprender?

A la mañana siguiente subí a la plataforma, donde me había precedido el capitán Nemo. Tan pronto como me vio, se dirigió hacia mí diciéndome:

—¿Os convendría, señor profesor, hacer hoy una excursión submarina?

—¿Con mis compañeros? —pregunté.

—Como gustéis.

—Estamos a vuestras órdenes, capitán.

—Tened, pues, la bondad de vestiros las escafandras.

Del moribundo o del muerto no habló. Me fui al encuentro de Ned Land y Consejo, a quienes expuse la propuesta del capitán Nemo. Consejo se apresuró a aceptar, y esta vez el canadiense se manifestó muy dispuesto a seguirnos.

Eran las ocho de la mañana. A las ocho y media ya estábamos vestidos para el nuevo paseo, y provistos con los dos aparatos de alumbrado y respiración. Se abrió la doble puerta; y acompañados del capitán Nemo, seguido de una docena de hombres de la tripulación, tomábamos pie a una profundidad de diez metros sobre el suelo firme, donde descansaba el *Nautilus*.

Una ligera pendiente iba a parar a un fondo accidentado, a unas quince brazas de profundidad. Difería este fondo completamente de los que había yo visto en mi primera excursión bajo las aguas del Pacífico. No había aquí ni arena fina, ni praderas submarinas, ni bosque pelagiano. Reconocí inmediatamente aquella región maravillosa de que nos hacía los honores el capitán Nemo. Era el reino del coral.

En la ramificación de los zoófitos y clase de las alcionarias se observa el orden de los gorgonarios, que encierra los tres grupos de gorgonianos, isidianos y coralianos. A estos últimos pertenece el coral, curiosa sustancia que ha sido alternativamente clasificada en los reinos mineral, vegetal y animal. Remedio entre los antiguos, joya entre los modernos, quedó definitivamente clasificada en el reino animal el año 1694 por el marsellés Peysonnel.

El coral es un conjunto de animalillos reunidos en un polípero de naturaleza quebradiza y lapídea. Estos pólipos tienen un generador único que los ha producido por brotes, y poseen una existencia propia, participando de la vida común. Es, por consiguiente, una especie de socialismo natural. Yo conocía los diferentes trabajos hechos acerca de este singular zoófito, que se mineraliza arborizándose, según la exacta observación de los naturalistas, y nada podía ser tan interesante para mí como visitar uno de esos bosques petrificados que la Naturaleza ha creado en el fondo de los mares.

Los aparatos Rumhkoff se pusieron en actividad, y seguimos un banco de coral en vía de formación, que con ayuda del tiempo cerrará algún día aquella porción del océano Índico. Había por ambos lados del camino intrincados zarzales formados por el enlace de arbustos cubiertos con unas florecillas estrelladas de radios blancos. Pero, al revés de las plantas terrestres, aquellas arborizaciones fijadas a las peñas se dirigían todas de arriba abajo.

Producía la luz mil deliciosos efectos al juguetear entre aquellos ramajes tan vivamente teñidos. La ondulación de las aguas parecía dar movimiento a aquellos tubos membranosos y cilíndricos, inspirándome deseos de coger sus frescas corolas adornadas con delicados tentáculos, recién abiertas las unas, nacientes las otras, mientras que ciertos peces ligeros, de rápidas aletas, se deslizaban entre ellas cual bandadas de avecillas. Pero si yo arrimaba la mano a aquellas flores vivientes, a aquellas sensitivas animadas, al punto se alarmaba la colonia. Las corolas blancas se replegaban en sus estuches rojos, las flores se desvanecían y la zarza se trocaba en áridos trozos de aglomeraciones lapídeas.

La casualidad me había colocado delante de los ejemplares de zoófitos más preciosos.

Este coral valía tanto como el que se pesca en el Mediterráneo, en las costas de Francia, de Italia y de Berbería, justificando por sus vivos matices los nombres poéticos de *espuma de sangre y flor de sangre* que el comercio da a sus más bellos productos. El coral se vende hasta quinientas pesetas el kilogramo, y en aquel paraje las capas líquidas cubrían la fortuna de todo un mundo de especuladores (1). Esta preciosa materia, mezclada a veces con otros políperos, formaba entonces unas aglomeraciones compactas e intrincadas llamadas *macciota,* y en las cuales advertí admirables muestras de coral rosado.

Poco después las matas coralinas se estrechaban, y las arborizaciones se presentaron en mayor escala,

(1) El coral, como objeto de comercio, se pesca generalmente en el Mediterráneo, en las costas de Córcega, Cerdeña, Baleares y norte de África, en las inmediaciones de Túnez y de Lacalle. Liorna es el punto principal de talla y almacenaje, lo cual proporciona ocupación a unos mil doscientos obreros, hombres y mujeres. El precio que fija Julio Verne es el del coral de clase superior, pues el término medio no pasa de doscientas pesetas el kilogramo, y para eso ha de ser tallado, porque el precio medio del coral en bruto suele ser de treinta y tres pesetas.

abriéndose a nuestros pasos unos verdaderos tallares petrificados y dilatados tramos de fantástica arquitectura.

El capitán Nemo penetró por una oscura galería, cuya pendiente suave nos condujo a la profundidad de cien metros. La luz de nuestros serpentines producía de vez en cuando efectos mágicos al reflejarse en las rugosas asperezas de aquellas bóvedas naturales y en los colgantes dispuestos a modo de lucernas, y sobre las cuales se refractaban imitando puntas incandescentes. Entre los arbustos coralígenos observé otros pólipos no menos curiosos, como melitas, iris, de ramificaciones articuladas, algunas matas de coralinas (1), verdes unas, y encarnadas otras, verdaderas algas incrustadas en sales calizas, que los naturalistas, después de muchas discusiones, han clasificado definitivamente en el reino vegetal. Pero, según la observación de un filósofo, "allí está quizás el límite real en que la vida comienza oscuramente a salir del sueño de piedra, sin desprenderse aún de su rudo punto de partida".

Por último, y después de dos horas de marcha, habíamos alcanzado la profundidad de unos trescientos metros, es decir, el último límite en que empieza a formarse el coral. Pero allí ya no existían ni matas aisladas ni modestos tallares, sino la selva inmensa, grandes vegetaciones minerales, enormes árboles petrificados y enlazados con guirnaldas de elegantes plumarias, esos bejucos del mar, adornados de matices y reflejos. Pasábamos sin obstáculo por debajo de su alto ramaje perdido entre las tubíporas, las meandrinas, las astreas, las fungias, las cariófilas formaban una alfombra de flores sembrada de resplandecientes cristalizaciones (2).

(1) La coralina es una alga filamentosa, de la cual hay varias especies, y entre ellas la denominada *musgo de Córcega*, y la coralina oficinal, empleadas como absorbentes en Medicina.

(2) Ciertamente que es admirable la organización de todos estos seres, minerales, vegetales y animales a un tiempo; sus formas son elegantísimas y variadas, asemejándose generalmente a una planta por sus ramificaciones y por sus flores, donde reside la animalida. Algunos animalillos de éstos se reproducen, no sólo por huevos, sino también por brotes, como sucede con las plantas, que se multiplican, no sólo por semillas, sino por yemas. El pólipo generalmente vive adherido al tronco lapídeo de donde brota; pero también acontece que puede desprenderse

¡Qué espectáculo tan indefinible! ¿Por qué no era posible trasmitirnos nuestras sensaciones? ¿Por qué estar presos dentro de aquella cubierta de vidrio y de metal? ¿Por qué no habíamos de poder comunicar de uno a otro las palabras? ¿Por qué no vivíamos siquiera la vida de los peces que pueblan el elemento líquido, o más bien la de los anfibios, que durante dilatadas horas pueden recorrer a su antojo el doble dominio de la tierra y de las aguas?

Allí se había detenido el capitán Nemo. Mis compañeros y yo suspendimos la marcha, y al volverme noté que aquellos hombres formaban un semicírculo alrededor de su jefe. Fijando más la atención, reparé que cuatro de ellos llevaban a cuestas un objeto de forma oblonga.

Ocupábamos en aquel paraje el centro de un extenso y claro espacio cercado por las altas arborizaciones de la selva submarina. Nuestras lámparas proyectaban sobre aquella plaza una especie de luz crepuscular que alargaba desmesuradamente las sombras sobre el suelo. En los lindes de aquel claro la oscuridad era profunda, y sólo brillaban entre ella los destellos reflejados por las aristas vivas del coral.

Cerca de mí se encontraban Ned Land y Consejo, mirando aquélla que, según yo presumía, debía de ser extraña escena. Observando el suelo advertí que en algunos parajes se elevaba, formando protuberancias dispuestas con una cierta regularidad que no podía menos de ser obra de mano humana.

En medio de aquel espacio, sobre un pedestal de peñas toscamente amontonadas, se levantaba una cruz de

para fijarse sobre la peña y dar lugar a otra generación de pólipos con sus troncos y ramificaciones minerales. Lo particular es que cada una de las flores, esto es, cada uno de los pólipos, tiene su cavidad abdominal en comunicación con la de todos los demás; de modo que, cuando se alimenta uno, los demás lo aprovechan también, especie de comunismo singular. Las plumularias o plumarias se parecen a una pluma, y forman elegantes penachos, donde los pólipos se cuenta por millares. Hay políperos que tienen apéndices animados parecidos a una cabeza de ave; los hay en forma de abanico, de estrella, de encaje, etcétera. Los colores de todos ellos son a veces tan brillantes como los de ciertas flores de nuestros jardines.

coral que extendía sus brazos, semejantes, al parecer, a sangre petrificada.

Ante una señal del capitán Nemo, uno de los hombres se adelantó, y comenzó a cavar al pie de la cruz una fosa, con un azadón que descolgó de su cinto.

¡Todo lo comprendí! ¡Aquello era un cementerio; la fosa, una sepultura; el objeto largo, el cuerpo del hombre fallecido por la noche! El capitán Nemo y los suyos iban a enterrar a su compañero en la mansión común y en el inaccesible fondo del océano.

¡No! ¡Jamás se vio mi ánimo sobreexcitado en tan alto grado! ¡Nunca mayores impresiones habían penetrado en mi cerebro! ¡Yo no quería ver lo que veían mis ojos!

La tumba en tanto iba ahondándose lentamente. Los peces huían por uno y otro lado de su perturbado retiro. Sobre el suelo calizo resonaba la piqueta cuyo hierro despedía de vez en cuando chispas al herir algún guijarro perdido en el fondo de las aguas. La fosa se iba alargando, ensanchando, y por último no tardó en tener bastante capacidad para recibir el cadáver.

Entonces los que lo llevaban se acercaron. El cuerpo, amortajado con un tejido de biso blanco, descendió a su húmeda sepultura. El capitán Nemo, cruzado de brazos sobre el pecho, y todos los amigos de quien los había querido, se arrodillaron para dedicarle una plegaria... Mis dos compañeros y yo nos habíamos inclinado respetuosamente.

Después la tumba se cubrió con los escombros sacados de la fosa, formando un ligero montecillo.

Terminado todo, el capitán Nemo y sus hombres se levantaron; y acercándose a la sepultura, doblaron de nuevo la rodilla, y extendieron su mano en señal de postrer adiós...

Entonces la fúnebre comitiva emprendió el regreso al *Nautilus,* pasando otra vez bajo las bóvedas de la selva, entre los tallares, a lo largo de las matas de coral y siempre subiendo.

Apareció, por fin, la luz de nuestra nave, guiándonos hasta ella sus ráfagas brillantes. A la una ya estábamos en el *Nautilus.*

Tan pronto como me mudé de traje subí a la plataforma, y entregado a una terrible confusión de ideas, me fui a sentar junto al fanal.

El capitán Nemo se acercó. Me levanté, y le dije:

— Así, pues, según mis previsiones, ese hombre murió anoche.

— Sí, señor Aronnax — respondió.

— ¿Y ahora, descansa entre sus compañeros, en ese cementerio de coral?

— ¡Sí, de todos olvidado menos de nosotros! ¡Cavamos la tumba, y los pólipos se encargan de cerrarla para la eternidad!

Y ocultando con brusco ademán el rostro entre sus crispadas manos, trató en vano el capitán de reprimir un sollozo. Después añadió:

— ¡Ése es nuestro pacífico cementerio, a algunos centenares de metros bajo la superficie de las aguas!

— ¡Vuestros difuntos duermen al menos en paz, capitán, y defendidos contra el ataque de los tiburones!

— Sí, señor — respondió con gravedad el capitán Nemo —; contra los ataques de los tiburones y de los hombres.

SEGUNDA PARTE

Capítulo Primero

EL MAR EN LAS INDIAS

Aquí comienza la *Segunda parte* de este viaje submarino. La *Primera* ha terminado con la conmovedora escena del cementerio de coral, que ha dejado en mi ánimo una impresión profunda. Es decir, que en el seno del inmenso mar, la vida del capitán Nemo se desenvolvía por completo, sin olvidar ni aun su tumba preparada en el más impenetrable abismo. Allí los monstruos marinos no irían a turbar el último sueño de los tripulantes del *Nautilus,* de esos amigos estrechamente unidos, lo mismo para la muerte que para la vida. "Ningún hombre tampoco"; había añadido el capitán. ¡Siempre la misma desconfianza implacable para las sociedades humanas!

Por lo que a mí tocaba, ya no me satisfacían las hipótesis de Consejo, quien persistía en considerar al jefe del *Nautilus* como un sabio desconocido que devuelve a la Humanidad desprecio por indiferencia. Era para él un genio no comprendido que, cansado de los desengaños terrestres, se había refugiado en el inaccesible medio donde sus instintos se ejercían libremente. Pero, a mi ver, esta hipótesis sólo explicaba una de las facetas del capitán Nemo.

En efecto, el misterio de la última noche, durante la cual habíamos estado presos y adormecidos; la precaución, con tanta violencia tomada por el capitán, de arrancarme el anteojo con que yo quería examinar el horizonte; la herida mortal de aquel hombre, debida a un inexplicable choque del *Nautilus;* todo me inspiraba serias meditaciones. ¡No, el capitán Nemo no se limitaba a huir de los hombres! Su formidable aparato servía, no solamente para sus instintos de libertad, sino también para no sé qué terribles represalias.

En este momento no alcanzo evidencia alguna, y sólo percibo algún indicio en medio de las tinieblas, debiéndome ceñir a escribir, por decirlo así, lo que me dicten los acontecimientos.

Por otra parte, nada nos liga al capitán Nemo, quien se da por satisfecho con saber que no podemos escapar. Ni siquiera somos prisioneros bajo palabra, no estando sujetos a compromiso alguno. No somos más que unos cautivos, unos prisioneros disfrazados con el nombre de huéspedes por cortesía. Sin embargo, Ned Land no ha renunciado a la esperanza de recobrar su libertad, y es seguro que aprovechará la primera ocasión que la casualidad le ofrezca. Yo le imitaré, sin duda, pero no sin cierto pesar, ocasionado por la generosidad con que el capitán nos ha dejado penetrar los misterios del *Nautilus*. En último extremo, ¿debe ese hombre ser aborrecido o admirado? ¿Es víctima o verdugo? Y para ser franco, antes de dejarle para siempre, quisiera haber terminado la vuelta al mundo submarino, cuyos primeros incidentes han sido tan magníficos. Quisiera haber observado la serie completa de las maravillas acumuladas en los mares del Globo. Quisiera haber visto lo que nadie ha podido conseguir, aun cuando tuviese que pagar con la vida ese insaciable deseo de aprender. ¿Qué he descubierto hasta ahora? Nada, o casi nada, puesto que todavía no hemos recorrido más que seis mil leguas por el Pacífico.

Yo sé muy bien, sin embargo, que el *Nautilus* se acerca a las tierras habitadas, y que si nos ofrece alguna probabilidad de salvación, sería cruel sacrificar mis compañeros a mi pasión por lo desconocido. Tendré que seguirlos, y guiarlos quizá. Pero, ¿se ofrecerá alguna vez esta ocasión? El hombre, privado por fuerza de su libre albedrío, bien la desea; pero el sabio y el curioso la teme.

Aquel día, 24 de enero de 1868, a las doce, vino el segundo a tomar la altura del sol. Subí a la plataforma, encendí un cigarro, y observé la operación. Parecióme evidente que aquel hombre no entendía el francés, porque diferentes veces expresé en voz alta mis pensamientos, lo cual debería haber excitado en él alguna muestra involuntaria de atención si los hubiese comprendido, pero estuvo impasible y mudo.

Mientras que el segundo hacía observaciones con el sextante, uno de los marineros del *Nautilus,* aquel hombre vigoroso que nos había acompañado durante la primera excursión submarina, de la isla de Crespo, vino a limpiar los cristales del fanal. Examiné entonces la instalación de este aparato, cuya potencia se hallaba centuplicada por unos anillos lenticulares semejantes a los que existen en los faros y que proyectan la luz en la dirección conveniente. La lámpara eléctrica estaba combinada de tal modo que pudiera aprovecharse toda su fuerza de iluminación. Su luz, en efecto, se producía en el vacío, lo cual aseguraba a la vez su regularidad y su intensidad, economizándose las puntas de grafito, entre las cuales se desarrolla el arco luminoso; economía importante para el capitán Nemo, que no hubiera podido renovarlas fácilmente. Pero con las condiciones allí establecidas, se gastaban casi insensiblemente.

Cuando el *Nautilus* se preparó para proseguir su marcha submarina, subí al salón; las escotillas se cerraron y el rumbo fue directamente al Oeste.

Surcábamos entonces el océano Índico, extensa llanura líquida que abarca quinientos cincuenta millones de hectáreas, y cuyas aguas son en tan alto grado transparentes, que producen vértigo al inclinarse sobre su superficie. El *Nautilus* navegaba generalmente entre cien y doscientos metros de profundidad durante algunos días. A otro que no fuera yo, embargado por una inmensa afición al mar, las horas hubieran parecido largas y monótonas; pero los paseos diarios sobre la plataforma, donde me empapaba en el vivificante aire del mar; el espectáculo de aquellas ricas aguas, a través de los cristales de las ventanas, la lectura de los libros de la biblioteca, la redacción de mis memorias, ocupaban mi tiempo, y no me dejaban un solo momento de cansancio o de tedio.

Nuestra salud se mantenía en muy satisfactorio estado, conviniéndonos perfectamente el régimen de a bordo; y yo bien me hubiera pasado sin las variantes que Ned Land, por espíritu de protesta, se complacía en introducir. Además, en aquella temperatura constante no había siquiera un solo resfriado que temer; y por otra parte, el madreporario *dentrofilea* conocido en Provenza con el nombre de *hinojo marino,* y del cual existía a bordo alguna provisión, nos hubiera proporcionado con la carne fundente de sus pólipos una excelente pasta para la tos.

Durante algunos días vimos una gran cantidad de aves acuáticas, palmípedas, quinchos y gaviotas. Fueron algunas diestramente cazadas y guisadas de cierto modo, que nos proporcionaron un manjar marino muy aceptable.

Entre los pájaros más voladores que se separan a largas distancias de tierra, y cuando están cansados se reposan sobre las aguas, observé unos magníficos albatros, de grito discordante, cual rebuzno de asno, aves que pertenecían a la familia de los longipenes. La de los totipalmos estaba representada por unas fragatas rápidas que pescaban con notable ligereza los peces de la superficie, y por unos numerosos faetontes, y entre otros el de filamentos rojos, grande como una paloma y cuyas plumas blancas están matizadas de colores rosados que se destacan sobre el fondo negro de las alas.

Las redes del *Nautilus* nos trajeron también algunas especies de tortugas marinas del género *carey,* con el lomo combado, y cuya concha es muy apreciada. Estos reptiles, que se sumergen fácilmente, pueden mantenerse mucho tiempo debajo del agua, cerrando la válvula carnosa situada en el extremo externo de su canal nasal. Algunos de estos *careys,* cuando los cogimos, dormían todavía dentro de su concha, al abrigo de los animales marinos; su carne era en lo general mediana, pero sus huesos son un excelente regalo.

En cuanto a los peces, seguían provocando nuestra admiración cuando sorprendíamos a través de las ventanas abiertas los secretos de su vida acuática. Reconocí algunas especies que no habíamos podido observar hasta entonces.

Citaré principalmente unos ostreidos particulares del mar Rojo, del de las Indias y de la parte del océano que baña las costas de la América equinocial. Estos peces, como las tortugas, los armadillos, los ursinos, los crustáceos, están defendidos por una coraza que no es ni cretácea, ni lapídea, sino realmente huesosa. Afectan la forma de un sólido, unas veces triangular y otras cuadrangular. Entre los triangulares, noté algunos de medio decímetro de longitud, de carne saludable, de sabor exquisito, pardos en la cola, amarillos en las nadaderas, y cuya aclimatación recomiendo hasta en las aguas dulces, donde se acostumbran fácilmente a vivir ciertos peces del mar. Mencionaré también otros cuadrangulares, con cuatro gruesos tubérculos sobre el lomo, así como salpicados de puntos blancos en la parte inferior del cuerpo, que se domestican fácilmente como pájaros; unos trigonos provistos de aguijones formados por la prolongación de su concha huesosa, y a los cuales, por cierto singular gruñido, se ha dado el nombre de *cerdos de las Indias,* y unos dromedarios con gruesas protuberancias cónicas, cuya carne es dura y coriácea.

También recuerdo, entre las notas diarias tomadas por Consejo, ciertos peces del género tetrodonte, particulares de aquellos mares, unos espenglarianos de lomo encarnado y pecho blanco, que se distinguen por tres hileras longitudinales de filamentos, y cunos eléctricos largos de siete pulgadas, adornados con los colores más vivos. Después, como muestras de otros géneros, citaré los ovoides, llamados así por asemejarse a un huevo, desprovistos de cola, y cuyo color pardo oscuro estaba surcado de listas blancas; los diodontes u orbes espinosos, verdaderos puercoespines del mar, provistos de aguijones, y pudiendo hincharse hasta formar una bola erizada de dardos; los hipocampos o caballos marinos comunes a todos los mares; los pegasos voladores de hocico prolongado, cuyas nadaderas pectorales, extendidas y dispuestas a manera de alas, les permiten, si no volar, al menos saltar por el aire; las palomas espatuladas, cuya cola está cubierta de numerosos anillos escamosos; los macrognatos de largas mandíbulas, excelentes pescados, cuya longitud es de veinticinco centímetros, y que brillan con los colores más vivos; los caliómetros lívidos, cuya cabeza es rugosa, millares de babosas saltadoras rayadas de negro, con largas nadaderas pectorales, que corren sobre la superficie de las aguas con pasmosa agilidad, los deliciosos velíferos o veleros, que pueden usar sus nadaderas a guisa de las velas desplegadas, los espléndidos kurtos, a los cuales ha prodigado la naturaleza el amarillo, el azul celeste, el plata y el oro; los tricópteros, cuyas alas están formadas de filamentos; las costas, con vivas manchas de amarillo, que producen cierto zumbido; los triglos, cuyo hígado se considera como veneno; los badianes, que tienen sobre los ojos una anteojera movible, y por último, los fueles, de hocico largo y tubuloso, verdaderos papamoscas del océano, armados de un fusil, no inventado por Chassepot ni por Remington, y que matan a los insectos hiriéndoles con una simple gota de agua.

En el género noventa y nueve de los peces clasificados por Lacepede, que pertenece a la subclase de los óseos, caracterizada por un opérculo y una membrana bronquial, observé la escorpena cuya cabeza está guarnecida de aguijones, y que sólo posee una nadadera dorsal; estos animales están provistos o no de pequeñas escamas, según el subgénero a que pertenecen. El segundo subgénero nos dio unas muestras de didáctilos de tres o cuatro decímetros de longitud, rayados de amarillo, pero cuya cabeza es de aspecto fantástico. En cuanto al primer subgénero, suministra varias muestras de ese pez singular, justamente llamado *sapo de mar* de gran cabeza, ora lleno de senos profundos, ora de protuberancias, erizado de aguijones y sombreado de tubérculos, tiene unos cuernos irregulares y horrorosos, su cuerpo y su cola están guarnecidos de callosidades; sus aguijones causan heridas peligrosas; es repugnante y horrible.

Del 22 al 23 de enero, el *Nautilus* marchó a razón de doscientas cincuenta leguas cada veinticuatro horas, o sea quinientas cuarenta millas, a veintidós millas por hora. Si reconocíamos a su paso las diversas variedades de peces, era porque éstos, atraídos por el brillo eléctrico, trataban de acompañarnos. La mayor parte quedaban, sin embargo, rezagados, y algunos se mantenían durante algún tiempo en las aguas del *Nautilus*.

El 24 por la mañana, a los 12° 5′ de latitud Sur, y a los 94° 33′ de longitud, tuvimos conocimiento de la isla Keeling, aglomeración madrepórica plantada de magníficos cocoteros, que había sido visitada por Darwin y el capitán Fitz Roy. El *Nautilus* costeó a corta distancia los cantiles de aquella desierta isla, y las dragas nos procuraron numerosos ejemplares de pólipos y equinodermos, así como ciertos restos testáceos de moluscos. Algunos preciosos productos de la especie de las delfínulas, aumentaron los tesoros del capitán Nemo, al cual añadí también una astrea puntífera, especie de polípero parásito fijado con frecuencia sobre una concha.

De pronto la isla de Keeling desapareció en el horizonte, y se tomó rumbo al Noroeste, hacia la punta de la península indiana.

—¡Tierras civilizadas! —me dijo aquel día Ned Land—. ¡Eso vale más que las islas de la Papuasia, donde hay más salvajes que venados! En esa tierra de las Indias, señor profesor, hay carreteras, ferrocarriles, ciudades inglesas, francesas y asiáticas. No se andan cinco millas sin encontrar un compatriota. ¿No será éste el momento favorable para dejar plantado al capitán Nemo?

—No, Ned Land —le respondí con resuelto acento—. Dejemos correr las cosas. El *Nautilus* se acerca a continentes habitados. Vuelve hacia Europa; y si allí nos lleva, veremos lo que la prudencia nos aconseja entonces. Por otra parte, no supongo que el capitán Nemo nos permita ir a cazar sobre las costas de Malabar o de Coromandel como en los bosques de la Nueva Guinea.

—¿Y no podemos prescindir de su permiso?

—No —respondí. No quería discutir, porque, en el fondo, mi empeño consistía ya en querer apurar hasta el fin los azares del destino que me había puesto a bordo del *Nautilus*.

Desde la isla de Keeling, nuestra marcha se fue

amortiguando, haciéndose más caprichosa y llevándonos a grandes profundidades. Se emplearon con frecuencia los planos inclinados, los cuales, por medio de palancas interiores, podían colocarse en sentido oblicuo. Avanzamos así hasta dos o tres kilómetros, pero sin explorar nunca los fondos de aquel mar, a los cuales no podían llegar ni aun las sondas de trece mil metros. En cuanto a la temperatura de las capas profundas, el termómetro indicaba siempre invariablemente 4° sobre cero. Observé que en las regiones superiores el agua era siempre más fría en los parajes de fondo elevado que en alta mar.

El 25 de enero, el océano estaba absolutamente desierto, y el Nautilus pasó el día sobre su superficie batiendo las aguas con su potente hélice, y despidiéndolas a grande altura. ¿Quién no le hubiera entonces confundido con un cetáceo gigantesco? Yo pasé las tres cuartas partes del día sobre la plataforma contemplando el mar. Nada se divisó en el horizonte hasta las cuatro de la tarde, en que se dejó ver por un instante la arboladura de un vapor que corría por el Oeste a contrabordo, pero que no podía alcanzar a percibir el *Nautilus* por lo somero de nuestra embarcación. Se me ocurrió que debía pertenecer aquel buque a la línea peninsular y oriental que hace el servicio de la isla de Ceilán a Sidney, tocando en la punta del rey Jorge y en Melbourne.

A las cinco de la tarde, antes del rápido crepúsculo que separa la noche del día en las zonas tropicales, quedamos Consejo y yo maravillados ante un espectáculo muy curioso.

Existe un animal de formas muy graciosas, cuyo encuentro, según los antiguos, presagiaba afortunada suerte. Aristóteles, Ateneo, Plinio, Opiano, habían estudiado sus inclinaciones y agotado en describirlo toda la poética de los sabios de la Grecia y de Italia. Le llamaron *Nautilus* y *Pompilius*. Pero la ciencia moderna no ha ratificado esta denominación, y hoy en día el molusco a que me refiero es conocido con el nombre de *argonauta* (1).

(1) Dudan algunos de la existencia de este animal, al menos en la forma descrita por los antiguos, que le atribuían el haber servido de modelo a los hombres para su navegación.

El que hubiera consultado a Consejo habría sabido que los moluscos se dividen en cinco clases, y que la primera es la de los cefalópodos (1), cuyos individuos, ora desnudos, ora testáceos, comprende dos familias; la de los dibranquios y tetrabranquios, que se distinguen por el número de branquias. La familia de los dibranquios se subdivide en tres géneros: el argonauta, el calamar y la jibia; y la de los tetrabranquios sólo cuenta con uno, el nautilus. Si después de esta nomenclatura confundiese algún entendimiento rebelde un argonauta, que es acetabulífero, es decir, portador de tentáculos, no hubiera tenido excusa alguna.

Era, pues, un tropel de argonautas el que entonces viajaba sobre la superficie del océano, pudiendo contarlos por centenares. Pertenecían a la especie de los argonautas tuberculados, que es peculiar de los mares de las Indias.

Estos graciosos moluscos nadaban hacia atrás por medio de su tubo locomotor, despidiendo el agua que habían absorbido. De sus ocho tentáculos, seis delgados y largos flotaban a modo de remos, mientras que los dos restantes, redondeados en forma de palmas, se elevaban para recibir el viento, asemejándose a unas ligeras velas. Podía perfectamente notarse la concha espiraliforme y ondulada de estos animales, que Couvier compara acertadamente con una chalupa. Verdadero barco, en efecto, transporta al molusco que la ha producido pero sin adherencia ninguna con él.

—El argonauta tiene la libertad de dejar su concha —dije a Consejo—, pero no la deja jamás.

—Exactamente como el capitán Nemo —observó juiciosamente Consejo—; y por eso hubiera hecho mejor en llamar a su nave el *Argonauta.*

El *Nautilus* navegó como cosa de una hora entre aquella multitud de moluscos, y después no sé de qué espanto se vieron repentinamente sobrecogidos; porque, lo mismo que si obedecieran a una señal, recogieron sus velas, replegaron sus brazos, contrajeron sus cuerpos e invirtieron la posición de sus conchas cambiando de centro de gravedad, desapareciendo bajo las aguas

(1) Es decir, que tienen los pies en la cabeza.

toda aquella flota menuda. Esta evolución fue instantánea y ejecutada con más precisión y conjunto que la mejor maniobra de una escuadra.

En aquel momento llegó la noche casi de repente; y las oleadas, apenas movidas por la brisa, se tendieron apaciblemente bajo las encintas del *Nautilus.*

Al día siguiente, 26 de enero, cortábamos el Ecuador a los 82° del meridiano, y entrábamos en el hemisferio boreal.

Durante aquel día nos acompañó una formidable manada de tiburones, animales terribles que menudean en aquellos mares haciéndolos muy peligrosos. Había entre ellos unos escualos filipos de lomo pardo y abdomen blanquecino, armados con once filas de dientes; otros ojeteados, en cuyo cuello hay una gran mancha negra orlada de blanco, semejante a un ojo y, también, unos isabelos de hocico redondo y matizado de puntos oscuros. Estos poderosos animales se precipitaban frecuentemente sobre el cristal de la ventana con una violencia poco tranquilizadora. Entonces Ned Land no era dueño de sí mismo y quería subir a la superficie para arponear a aquellos monstruos, sobre todo a ciertos escualos emisoles, cuya boca está, por decirlo así, empedrada con dientes dispuestos a modo de mosaico, y a los atigrados, largos de cinco metros, que le provocaban con particular insistencia. Pero el Nautilus, aumentando su velocidad, dejó bien pronto atrás a los más veloces de aquellos tiburones.

El 27 de enero, a la entrada del golfo de Bengala, tropezamos diversas veces con un espectáculo siniestro, a saber: con unos cadáveres que sobrenadaban, y que debían ser de fallecidos en las ciudades indias, arrojados al Ganges y acarreados por este río mar adentro, y que los buitres, únicos enterradores de aquella región, no habían concluido de devorar; pero no faltaban los escualos para ayudarlos en tan fúnebre tarea.

Hacia las siete de la tarde, el *Nautilus,* sumergido a medias, navegó entre un mar que parecía de leche. ¿Era esto efecto de los rayos lunares? No; porque la luna, que apenas llevaba dos días, se perdía todavía entre los rayos solares.

Todo el cielo, aunque alumbrado por la radiación

sideral, parecía negro por contraste con la blancura de las aguas.

Consejo, que no podía creer lo que veía, me preguntaba las causas de tan singular fenómeno, y por fortuna pude responderle:

—Esto es lo que se llama un mar de leche; vasta extensión de olas blancas que suele verse en las costas de Amboina y en estos parajes.

—¿Pero puede decirme el señor cuál es la causa de este efecto? Supongo que el agua no se habrá cambiado en leche.

—No, muchacho. Esa blancura que te sorprende es debida a miriadas de animalillos infusorios, especie de gusanos luminosos, gelatinosos y sin color, delgados como un pelo, y cuya longitud no excede de la quinta parte de un milímetro. Algunos de estos infusorios están adheridos unos con otros en el espacio de muchas leguas.

—¿Muchas leguas? —exclamó Consejo.

—Sí, muchacho; y no trates de calcular el número de ellos, porque no lo conseguirías. Ciertos navegantes han recorrido sobre estos mares de leche más de cuarenta millas.

Yo no sé si Consejo tuvo en cuenta mi reflexión, pero me pareció verle sumido en profundas meditaciones, procurando, sin duda, evaluar cuántos quintos de milímetro hay en cuarenta millas cuadradas. Seguí observando el fenómeno, y durante algunas horas el *Nautilus* hendió con su espolón aquellas olas blanquecinas y jabonosas, sobre las cuales se deslizaba sin ruido, cual si hubiese navegado por los remolinos de espuma que dejan entre sí las corrientes y contracorrientes de las bahías.

Alrededor de medianoche el mar recobró súbitamente su matiz ordinario; pero detrás de nosotros, hasta los límites del horizonte, el cielo, reflejando la blancura de las aguas, pareció durante mucho tiempo impregnado con los vagos fulgores de una aurora boreal.